배우를 위한 미하일 체홉 핸드북

THE MICHAEL CHEKHOV HANDBOOK For the Actor
by Lenard Petit

Copyright © Lenard Petit 2010

배우를 위한
# 미하일 체홉 핸드북
THE MICHAEL CHEKHOV HANDBOOK For the Actor

Lenard Petit 지음
김영래 옮김

도서출판 동인

지은이 **레너드 페티**Lenard Petit

레너드 페티는 미하일체홉학교의 초기 멤버들로부터 훈련을 받은 몇 안 되는 미하일 체홉 연기 지도자이다. 약 30여 년간 체홉의 연기 철학을 조명했고, 배우를 위한 체홉의 테크닉 지도원칙과 효과적인 연기 도구를 개발하기 위해 노력해왔다. 미하일체홉협회(MICHA)의 창립 멤버이고 뉴욕미하일체홉스튜디오의 예술 디렉터이며, 루트리즈 출판사에서 발행한 『미하일 체홉 테크닉 DVD 마스터 클래스』의 공동 제작자이다. 럿거즈 대학교의 MFA와 BFA 연기 프로그램에서 체홉의 테크닉을 강의하고 있다.


옮긴이 **김영래**

김영래는 고려대학교 국어국문학과를 졸업했고 한양대학교 일반대학원 연극영화학과에서 석사학위(MA)와 박사학위(DFA)를 취득했다. 박사학위논문 「루돌프 슈타이너의 인지학을 수용한 미하일 체홉의 연기방법론 연구」 외 체홉에 관한 다수의 학술 연구논문을 발표했고, 『인간의 본질을 추구한 미하일 체홉의 연기론』을 집필했다. 극단 아이터의 대표이며 세계인지학회 괴테아눔의 정회원이다. 정화예술대학교 공연예술학부에서 체홉의 테크닉연기를 강의하고 있다.

## 배우를 위한 미하일 체홉 핸드북

초판 1쇄 발행일 2021년 11월 30일

레너드 페티 지음
김영래 옮김

**발 행 인**   이성모
**발 행 처**   도서출판 동인 / 서울특별시 종로구 혜화로3길 5, 118호
**등록번호**   제1-1599호
**대표전화**   (02) 765-7145 / FAX (02) 765-7165
**홈페이지**   www.donginbook.co.kr
**이 메 일**   dongin60@chol.com
**I S B N**   978-89-5506-850-4 (93680)
**정     가**   15,000원

※ 잘못 만들어진 책은 바꾸어 드립니다.

내 삶을 지탱해주는 두 개의 사랑,
멕 페티와 루크 팬테라 페티에게 이 책을 바친다.

# 차 례

# 연습 차례

## 감사의 글

이 책의 아이디어를 진지하게 받아들이고 출판 허락 및 발매 과정을 안내해준 루트리즈 출판사의 탤리아 로저스와 벤자민 피콧에게 감사한다.

내가 걸어갈 방향을 가르쳐준 스승들께 감사한다. 그들이 없었다면 이 책이 세상에 나올 수 없었다. 그들 중 누구도 지금 우리와 함께 있지 않으므로, 그들의 이름을 내 마음속에 간직하려 한다.

PAJ 출판사가 『Lessons for the Professional Actor』에서 미하일 체홉의 발언 일부를 인용하도록 허락해준 것에 대해 감사한다.

수년에 걸쳐 이 책을 연구하는 데 필요한 여건을 마련해준 럿거즈 대학교에 큰 고마움을 전한다. 특히 캐럴 탐프슨, 바버라 마천트, 케빈 키틀, 데보라 헤드월, 헤더 라슈의 큰 지원을 받았다. 또한 매기 플래니건과 그녀의 뉴욕 스튜디오 소속 배우들에게도 이 책에 그들의 반응을 담을 수 있게 허락해준 것에 대해 감사한다.

수많은 워크숍 내용을 기록하고 이 책과 관련된 강의 결과에 대해 귀중한 의견을 추가해준 베써니 커푸토와 주디스 브래드쇼에게 특별한 감사를 전한다. 또한 원고 검토와 제출을 도와준 제임스 루스, 재닛 모리슨, 멜 슈레더에게도 감사한다.

미하일체홉협회(MICHA) 동료인 조애너 멀린, 제시카 츠룰로, 마졸린 바즈, 테드 푸, 펜 슬로언, 데이비드 진더, 세러 케인, 라그나 프리댄크 등이 내 생각과 연구에 대해 보여준 신뢰와 열정에 감사한다.

연기를 위해 새로운 것들을 창조해낼 수 있게 지속적으로 영감을 준 학생들과 배우들에게 감사한다. 특히 이 연구에 항상 참석하여 깊이 탐구해준 스코트 밀러, 제시 그린, 샐 카시아토, 타이어 지로우, 벤 바우먼, 존 로린슨, 브라이언 패리쉬, 조너선 데이, 브라이언 코헨, 제시카 새비지, 글렌 크루즈, 카론 레비스, 올리버 마틴, 줄리엣 베닛 등에게 감사한다.

미하일 체홉에게 가장 크고 깊은 마음으로 감사를 보낸다. 그의 천재성이 내 주위에서 계속 진동한다.

## 번역자의 글

미하일 체홉은 러시아의 훌륭한 배우이자 연출가이며, 20세기 연극 및 배우의 연기 테크닉 발전에 있어 중요한 방법론을 제시한 연기 지도자이다. 체홉은 자신의 연기론을 '영감의 연기'라고 정의하며 상상력, 이미지, 심리제스처, 가상의 신체, 중심, 창조적 응시, 고차적 자아 등의 개념을 연기론으로 구축했고, 직관과 상상을 연극예술의 중요한 원천으로 강조했다. 그는 현대 연기론에서 거의 언급하지 않았던 영혼과 정신의 개념과 가치에 연극적인 접근을 시도했으며 이를 체계적인 훈련 방법으로 발전시켜 배우의 연기 창조 영역을 정신적인 측면으로 승화시켰다.

본 번역자는 아주 오랫동안 체홉의 테크닉연기에 사로잡혀 있었다. 체홉의 연기론에 담긴 연기 철학의 근원을 찾기 위해 루돌프 슈타이너와 인지학을 연구했고, 체홉에 관한 대부분의 저서, 원서, 연기 훈련 동영상, 육성 녹음 등의 자료를 찾아 읽고 보고 듣고 확인했다. 그러다 문득 체홉에 대한 객관적인 시각이 필요하지 않을까 하는 내면의 소리를 들었고 이때 레너드 페티와 그의 책을 접하게 되었다.

『배우를 위한 미하일 체홉 핸드북』에서 페티는 다소 난해하다고 여겨지는 체홉의 테크닉을 체계적, 구체적, 실용적으로 풀어낸다. 특히 30여 년간의 연기교육 경험을 적절하게 응용한다. 체홉의 테크닉을 처음 공부하거나, 테크닉으로 연기 작업을 진행하거나, 테크닉을 학문적으로 연구하려는 사람들이 쉽게 접근할 수 있도록 4단계, 총 6장의 점층적 과정으로 설명한다.

1장 테크닉의 목표는 배우들을 위한 체홉의 연기의 진정한 목표에 대해 정의하고 있다. 2장 테크닉의 5가지 지도원칙과 3장 테크닉의 역동적 원칙에서는 배우들의 연기를 위한 체홉의 테크닉연기의 기본 원칙들에 대해 안내하고 있다. 4장 테크닉의 도구에서는 배우의 신체와 감각을 사용하는 방법에 관해 설명하고 있다. 5장 테크닉의 적용에서는 테크닉의 실행 사례 및 적용에 대해 학생 배우들과의 실제 훈련을 기록하고 있다. 체홉의 테크닉에 대한 이 책의 정의, 설명, 연습은 독자들에게 테크닉연기의 본질과 가치에 대한 이해를 증진할 실마리를 제공할 것이다.

이 책의 출판을 기꺼이 허락해준 도서출판 동인 이성모 대표님과 직원들에게 감사한다. 원고 교정을 도와준 극단 아이터의 최동명 실장에게도 감사한다.

레너드 페티에게 감사한다. 비록 나라가 달라서 메신저와 메일로만 대화를 나눴지만, 그는 저자로서 한국어판 번역을 허락해주고, 출판 진행에 협조를 아끼지 않았다.

미하일 체홉에게 감사한다. 비록 세대가 달라서 만나지는 못했지만, 그의 테크닉연기를 내 정신과 영혼에 담는 행복함이 없었다면, 이 번역 작업을 완성하지 못했을 것이다.

진실에 대해 말하지 않는, 말할 수 없는 세상이 되어가고 있다. 성공의 그늘에 가려 진실은 진부한 이데아로 폄하되고 있다. 이 책이 배우들에게 체홉이 추구한 연극과 연기의 진실을 찾는 작은 계기라도 되었으면 좋겠다. 우리 미래의 연극을 위해서라도.

2021년 11월의 어느 날<br>
여명이 밝아오는 새벽에

# 서문

　만일 할 수만 있다면, 나는 미하일 체홉에게 '당신의 테크닉에서 가장 중요한 요소는 무엇이라고 믿습니까?'라고 질문했을 것이다. 대신에, 20년 동안 체홉의 제자이자 비서였던 스승 디어드리 허스트 듀 프레이(Deirdre Hurst du Prey)에게 같은 질문을 했다. 그녀는 '그것은 진실일 것이다'라고 대답했다. 그녀의 말은 커다란 의미를 내포하고 있지만, 반대로 아주 단순하다. 어려운 것은 진실을 단순하게 유지하는 것이다. 일단 복잡해지면 진실은 이해하기 점점 더 어려워진다. 나 자신의 진실을 발견한 이 단순함에서부터 시작하려고 한다. 유용한 연기 테크닉은 배우 자신의 진실, 연기의 순간에 경험하는 진실에 관한 것이기 때문이다.

　체홉의 테크닉은 배우의 연기를 위한 아주 자유로운 방법이다. 테크닉의 내용은 아주 매혹적이고 가치가 있다. 나는 30년 동안 체홉의 연구방식을 적용해온 실천가이다. 거의 20년 동안 체홉의 테크닉을 가르쳤다. 오늘날 세계 각국에서 테크닉 교육을 진행하는 대부분의 교사, 강사, 교수 등 교육자를 알고 있다. 비록 그러한 교육자들의 커뮤니티가 크지는 않지만, 내가 그 구성원이라는 사실이 매우 행복하다.

　이 교육자 그룹의 한 가지 놀라운 사실은 테크닉의 본질은 모두 공유하지만, 어떻게 사물을 바라보고 어떻게 작업을 하는지는 개별적이라는 것이다. 각자 서로 다른 방식으로 테크닉의 요소를 강조한다. 자신의 작업을 위해 필수적인 요소라고 믿는 것을 찾고자 노력한다. 체홉의 테크닉 안에서 각자의 길을 가고 있다. 체홉의 연기방법은 사실상 그 범위가 제한적이다. 그의 의도는 배우를 영감의 연기로 인도하는 것이다. 그런데 영감을 얻는 방법도 제한적이다. 이것은 배우가 정확히 어떻게 연기할 것인지, 어떤 방법으로 역할에 접근할 것인지 선택할 수 있기 때문에 실제로 아주 좋은 일이다. 그래서 우리는 허둥대지 않아도 된다. 그리고 우리는 상상과 통합을 통해 이러한 제한적인 선택이 기하급수적으로 엄청나게 증가할 수 있음을 이해하게 된다.

이제 체홉의 테크닉에 대한 접근방법을 제시하고자 한다. 여기서 발견하게 될 것은 테크닉이 어떻게 내게 다가왔는지, 어떻게 내게 말했는지, 어떻게 내 것으로 만들었는지에 대한 것이다. 체홉의 말을 이 책의 여러 페이지에서 인용했는데, 나를 감동시킨 문장들을 선택했다. 테크닉을 사용하거나 가르치는 데 있어서 하나의 정통한 방법만 있다고 믿지 않는다. 체홉의 테크닉과 관련된 조금 별난 강의에 참석했었는데, 그것은 전혀 본 적도 없고 생각한 적도 없는 아주 새로운 것이었지만, 나는 이 새로운 것을 정말 '체홉적인 것'이라고 인정했다. 체홉적일 때를 아는 것도 쉽고, 체홉적이지 않을 때를 아는 것 또한 쉽다. 테크닉의 목적은 영감을 얻는 것, 자신을 표현하는 완벽한 능력과 그 능력 안에서 만족스러운 창조적 상태를 발견하는 것이다. 체홉은 그가 제시한 원칙을 통해, 배우가 자신의 테크닉, 즉 자신의 연기방식을 발견하기를 기대했다.

테크닉의 결과 또한 중요하다. 배우에게 부과하는 아주 특별한 요구들을 달성하면 테크닉은 영감을 준다. 나는 테크닉을 내 작업방식으로 선택했고 그 전체를 자세히 연구했지만, 특히 나에게 말을 걸고 나를 흥분시키는 테크닉의 부분들에 깊이 빠져들었다. 이것이 내가 공유하려는 내용이다. 일부는 체홉의 저서들을 읽으며 정리했고, 다른 일부는 체홉의 테크닉에서 발견한 원칙을 발전시켰다. 뿐만 아니라 거기에는 연극 공연의 여정 속에서 마주친 다른 원칙들도 있다. 나는 순수주의자가 아니다. 그래서 항상 내가 체홉의 궤도 안에 있다고 인정할 자료들을 추적하고 있다. 이 모든 것이 나에게는 진실이므로 여러분도 또한 그 안에서 새로운 진실을 발견할 수 있기를 희망한다.

체홉은 시대를 앞서간 사람이다. 체홉은 '미래의 연극'과 '미래의 배우'에 대해 언급했으므로 그것에 대해 잘 알고 있었을 것이다. 그의 사망 이후 65년이 지난 지금 그가 미래라고 불렀던 시대에 도착해 있다. 아마도 그는 현재 세대와 대화했던 것 같다. 오늘날의 예술가들은 체홉과 같은 작업방식, 체홉과 같은 시각의 접근방식에 귀를 기울이고 있다. 현대 서양 사회에는 동양 철학과 정신 수행이 급격하게 확산되면서 연기에 대한 보다 집중적인 접근방식에 대해 이해하게 되었다. 또한 삶에 있어 정신과 에너지의 영향력을 인정하게 되었다. 순수하게 분석적 지식을 기반으로 하는 심리학적 방법은 이미 그 효용의 한계를 드러냈다. 인간을 에너지의 힘으로 생각하는 것은 누구나 받아들일 수 있는 개념이 되었다. 정신과 육체의 연결은 이제 흔한 일이다. 현대인들은 자신에 대한 비물질주의적 태도를 회복했다. 이것이 이 시대에도 체홉의 테크닉이 필요한 이유이다. 이 책은 배우들을 위해 고안된 체홉의 테크닉에 대해 오늘날 현대의 배우들과 함께 대화하며 생각을 공유하기 위한 것이다.

몇 걸음 뒤로 물러나 대중 앞에 서 있는 배우, 실체적 존재인 배우라는 가장 단순한 입장에서 접근해보자. 분명한 사실은, 배우가 공간을 에너지로 채우거나 말거나 상관없이, 공간을 점유하고 있다는 것이다. 만일 거기에 충분한 에너지가 있다면, 흥미가 생겨난다. 그렇지 않으면, 지루함 또는 무관심이 나타난다. 이것은 이론의 여지가 없으며, 프레이가 그녀의 수업 중에 인용한, 재미있고 심오한 체홉의 말로 쉽게 증명할 수 있다. '당신이 무대에서 살아있지 않은 순간, 당신은 이미 죽었다.' 이것은 배우라면 누구나 이해할 수 있는 명언이 되었다. 왜냐하면 모든 배우는, 무대 위에서 살아있다는 느낌의 엄청난 기쁨, 에너지 부족으로 관객을 잃는 깊은 고통을 알고 있기 때문이다. 에너지는 많은 사람에게 많은 의미로 다가오는 단어이다. 그래서 공통의 이해를 위해 내가 에너지를 이해하는 대로 단어를 정의해보겠다. 강의 시간에 나는 에너지를 몸을 움직이는 힘, 즉 근육도 뼈도 아닌 어떠한 실체로 정의한다. 그것은 생명력이다. 여러 가지 많은 다른 이름으로도 불리는데, 몇 가지 일반적인 용어의 예를 들면 정신, 기(氣) 혹은 프라나(prana)이다. 체홉의 테크닉으로 연기하려면, 이 개념들을 이해하고 공감하는 것이 필수적이다. 에너지는 연기의 문을 여는 열쇠이다.

상상은 또 다른 열쇠이다. 모든 가능성은 상상하는 능력에 있다. 그래서 좋은 출발점은 위대한 배우라고 상상하는 것이다. 상상은 우리가 가고자 하는 곳에 대한 이상적인 그림, 바로 이미지이다. 그것은 목표를 향해 나아가도록 도와주고 몰두하게 한다. 배우로서 우리는 항상 창조적이어야 한다. 예술을 창조하는 것이 자신의 임무라고 믿어야 한다. 연극예술은 살아있는 실체이고 그것은 진실, 현실, 인간성 그리고 극장과 밀접한 관련이 있다. 극장은 희망으로 가득하고, 예술적 환상으로 가득하고, 상상으로 가득하며 그리고 관객들로 가득해야 한다. 배우는 관객이 상상을 사용하도록 북돋우고, 이것을 통해 관객은 극장에서 배우와 더불어 창조적 존재가 될 수 있다. 배우와 관객의 소통은 무대로부터의 일방적인 공격이 아닌 진정한 상호 교감이기 때문에, 연극이라는 상상의 세계에서 모두가 능동적으로 살아있을 때 더욱 좋다.

연기와 관련이 있는 배우, 감독, 교수, 학생들이 체홉의 테크닉을 쉽게 배우는 학습서로 알아주었으면 하는 것이 이 책을 집필한 의도이다. 체홉이 연극 예술가들에게 제시한 '테크닉연기'를 쉽게 이해하기 위한 실용적인 가이드로 활용되기를 기대한다. 역동적인 전체로서의 테크닉에 대한 인식은 원칙과 도구의 차이를 구별할 수 있었을 때 가능했다. 테크닉의 구성 요소들이 명확하고 실행 가능한 형태로 다가왔고, 특정한 공연에 참여하는 데 필요한 연기방법을 쉽게 찾아 선택할 수 있게 되었다. 뉴욕의 배우단체에서 직접 강의하는 내용을 담은 『Lessons for the Professional Actor』라는 책에서, 체홉은 '모든 역할에는 고유한 테크닉이 필요하다'라고 말하면서 배우들은 연기의 특정 요소에 대해 특별히 주의를 기울이지 않아도 될 정도로 미리 잘 이해하고 있어야 한다고 강조했다. 그는 또한 4번째 지도원칙에서 테크닉은 많은 부분으로 구성된 하나의 전체이며, 일부를 사용하는 것은 전체를 사용하는 것이라고 말한다. 이것은 인물 창조에 대한 아주 단순한 접근을 가능하게 한다.

체홉은 테크닉에서 배우들이 의존하는 아주 많은 내용을 무형이라고 부른다. 무형이라고 하니 테크닉을 공부하는 배우들은 쉽게 당황할 수 있다. 체홉의 저서 『To the Actor』는 배우들에게 훌륭한 출판물이지만 여전히 이해하기 어려운 책이다. 그는 연기에 관한 저서에 정신적인 것을 포함할 수 없었고 아직도 그 상태로 출판된다. 그래서 무엇인가 누락되어 있는 느낌이다. 프레이가 남긴 자료에 관한 연구를 통해, 체홉이 '정신적인 것'에 대해 정리한 많은 참고 문헌들을 확인할 수 있었지만, 이 원천 자료는 특정 도서관들에 숨겨져 있고, 오직 진지한 연구자만이 그 자료를 찾아내는 데 어려움을 겪고 있다. 체홉의 테크닉으로 작업하는 사람들은 체홉의 책에서 누락된 것에 관해 대화하고, 연습하고, 연기한다. 그것은 사람에게서 사람으로 전해져왔고 연기 작업의 중심을 차지한다. 그것은 하나가 하나를 느끼는 것이 '무언가 다른 것'과 관계를 맺는다고 하는 측면에서는 정신적인 것이지만, 종교적인 측면에서의 정신적인 것은 아니다. 이 책에서 테크닉의 누락된 부분을 다뤄 배우들이 그것을 연기에 활용할 수 있게 하고 싶다. 믿을 수 있고 분명한 연기 작업방법을 보여주고 싶다. 테크닉으로 작업하면 할수록, 연기가 더 단순해졌고 진실해졌다.

체홉의 연기 테크닉은 한 가지 중요한 기준점에 기반을 두고 있다. 이 기준점은 동작이다. 체홉의 테크닉을 고찰할 때는, 계속 이 기준점을 향해 가야 한다. 그런데 테크닉을 탐구하고 이 기준점으로 돌아왔을 때 다른 지점에 서 있다는 것을 발견한다. 기준점은 항상 움직이고 있다. 관객이 보는 것은 움직이는 신체이기 때문에 테크닉은 신체를 움직이는 것으로부터 시작된다. 신체는 배우의 표현의 시작이자 끝이다. 신체는 필요한 때에 의지할 수 있는 도구이다. 신체를 도구로 인식하게 되면 배우는 동작, 심지어 초감각적인 동작도 느낄 수 있게 민감해진다. 체홉은 다음과 같이 말했다.

> 지금 의식적으로 하는 모든 것은 시간이 지나면 초의식이 될 것이다. 초의식적으로 창조하는 것, 이것이 우리의 목표이다.　　　　　(체홉, 『Lessons for Teachers』)

움직이는 방법도 많고, 동작을 인식하는 방법도 많다. 동작은 시작하고 멈추는 것이다. 행위와 반응이다. 생성하고 소멸하는 것이다. 물건을 들어 올리고 물건을 내려놓은 것이다. 동작은 본질적으로 생명을 들이마시고 내쉬는 호흡이다.

배우에 대한 체홉의 가장 눈에 띄는 공헌은 스스로 이름 붙인, '심리제스처'이다. 이것은 배우가 연기하도록 자극하는 수단으로, 먼저 상상을 하고 그다음에 실행하는 매우 구체적인 동작이다. 심리제스처는 여러 방식으로 배우가 제기한 질문, 즉 인물, 사물, 세계를 어떻게 표현하는가에 관한 질문이다. 그 해답을 얻는 것이 테크닉의 초기 단계 어려움이고, 이것이 배우를 신체로 돌아가게 하는데, 신체는 자신이 만들 수 있는 동작에 민감해져야 한다.

배우의 도구는 생명을 영위하는 동일한 신체이다. 그것은 먹고, 자고, 사랑하고, 웃고, 울고, 죽는다. 경험은 신체를 통해 감각으로 다가온다. 신체는 감각을 지식으로 기록한다. 우리는 동작과 절대적으로 연결된 단어의 그림을 사용해 마음에 드는 경험의 언어를 말한다. 그런데 그것에 너무 익숙해져서 원초적 언어와의 연관성을 잃어버렸다. '그녀가 절망에 빠졌다', '그녀가 혼란에 빠졌다' '그녀가 사랑에 빠졌다 또는 잠에 빠졌다'라고 말할 때 이것들은 무엇을 의미하는가? 이것들은 어떻게 연결될 수 있는가? 우리가 정말로 그것들 속으로 빠지는 것인가?

동작에 관한 공통의 언어를 살펴보자. 우리는 움직이거나 움직이지 않는다고 말한다. 어떤 것을 강력히 지지하거나 인생에서 영원히 던져버린다. 누구든지 일에 치이는 느낌을 좋아하지 않으며, 재빨리 다른 사람에게 떠넘긴다. 모임에 스스로 합류할 때까지 끌려다니는데 일단 합류하게 되면 같이 흐르며 마음이 회복되거나 기분이 올라가거나 다시 떨어진다. 떨어지는 것은 분해되거나 사라지거나 갈라지는 것이다. 마음이 다른 사람에게 나가거나, 상심하여 부서지고 눈물을 떨군다. 때때로 우리는 당당히 일어서거나, 자부심으로 부풀어 오르고, 두려움에 움츠리거나, 단호하게 자신의 입장을 고수한다. 우리는 다른 사람들을 느끼고, 머리를 맞대며, 문제에 대한 대책을 강구하고, 가끔 문제를 회피하기도 하지만, 마침내 결론을 이끌어내고 안심하게 된다.

동작은 이와 같이 다양한 서술의 중심에 있다. 그래서 동작, 우리가 만드는 동작, 우리 주위에서 만들어지는 동작, 우리 안에서 일어나는 동작에 주의를 기울이는 것이 필수적이다.

체홉은 본문에서 연기 작업을 하는 데 2가지 방법이 있다고 말했다. 집중하는 데도 2가지 방법이 있으며 그가 어떤 방법을 선호하는지도 분명히 말하고 있다. 그가 제안하는 방식으로 집중하지 않으면 어떤 것도 일어나지 않을 것이다. 체홉의 안내를 따라가면, 무언가가 일어나서, 즉시 순수한 연기에 빠져들고, 자신 안에 있는 새로운 곳으로 갈 수 있다는 것을 인식하게 될 것이다.

이 책에는 새로운 것이 거의 없다. 결국 대부분은 체홉의 생각이다. 다른 점이라면 도구와 원칙의 구조화, 에너지의 역동적인 힘에 관한 부분을 포함한 것이다. 원형 에너지를 중심으로 테크닉을 새롭게 이해하게 된다. 내적 동작, 발산, 분위기, 이미지 통합과 같은 개념은 연기를 위한 아주 큰 도구이다. 도구를 성공적으로 사용할 수 있는 유일한 방법은 에너지로 연기하는 것이다.

이 책은 이해하기 쉽게 구성되어 있다. 독자들이 참고하기 쉽도록 테크닉의 원칙과 도구를 서로 분리했다. 이 책의 5장 '테크닉의 적용'은 모든 테크닉의 요소들을 하나의 역동적인 모델로 통합하고 있다. 실용성과 단순함을 모두 담을 수 있는 방법을 찾았다. 특히 5장은 실제 강의 자료를 편집해 만들었다. 특정 부분은 유진 오닐(Eugene O'Neill)의 〈느릅나무 아래 욕망〉(Desire Under the Elms)이라는 연극을 참고했지만, 나머지 부분은 순수한 테크닉 강의이다. 나는 학생 배우들과 함께 작업하며 연기에 대해 많은 대화를 나눈다.

# 1장

---

# 테크닉의 목표

체홉은 미래의 연극을 상상했다. 미래의 연극이 도래하면 배우들이 완벽하게 준비하여 만나러 올 것이라고 확신했다. 테크닉의 목표는 배우들이 추구하는 궁극적인 이상이다. 체홉은 아주 설득력 있게 그 이상을 설명하고 있으며, 그의 저서와 강의에 산재해 있다. 체홉의 이상이 오래전에 체홉의 저서를 계속 읽게 했으며 항상 나와 함께 하고 있다. 나는 체홉의 이상을 믿는다. 테크닉의 목표는 배우들이 목적지를 계속 유지할 수 있게 선명한 그림을 제시한다.

미래의 배우는 자신의 물리적 신체와 목소리에 대한 새로운 태도를 찾아야 할 뿐만 아니라, 예술가로서 배우가 자신의 직업을 수단으로 하여 자신의 존재를 다른 누구보다도 확대해야 한다는 의미에서, 무대 위의 그의 존재 전체에 대한 새로운 태도를 찾아야 한다. 비록 배우가 공간에서 완전히 다른 느낌을 가진다고 하더라도, 매우 구체적인 방법으로 자신을 확장해야 한다. 자신의 생각이 달라져야 하고 자신의 감정이 다른 종류가 되어야 하며, 신체와 목소리의 느낌, 무대에서의 태도 등 모든 것을 확장해야 한다.

(체홉, 『Lessons for the Professional Actor』)

일반적으로 배우 자신의 '존재'는 약하다. 그러나 집중을 연습하면 '존재'의 감정이 더 강해지는 것을 보게 되고, 마치 자신의 정신에 집중된 것처럼 느낄 것이다. 집중을 적절한 행위와 함께 충분히 연습한다면, 나라는 '존재'의 놀라운 감정을 느낄 것이다. 이 '존재'의 감정을 통해, 자신의 존재가 집중되고, 신체가 집중되고, 정신이 집중될 것이다. 이것은 가장 아름다운 것이고, 특히 무대에서 그 무엇도 아닌 배우의 존재 전체를 보여줘야 하는 배우에게는 특히 아름다운 것이다. 그때 비로소 지고한 의미에서의 예술가가 될 것이다.

(체홉, 『The Actor is the Theater』)

집중을 통해, 체홉의 테크닉은 배우가 인간의 일상적인 감각보다 더 큰 힘을 발견하도록 유도한다. 배우의 진정한 연기는 개인적인 경험을 관객의 무언가를 변화시킬 수 있는 보편적이고 인식 가능한 표현 형식으로 변형한다. 경험한 대로 개인적인 인상을 단순히 재현하는 것만으로는 충분하지 않다. 연습하는 배우로서, 자신 안에 살고 있는 많은 '존재들'을 깨달을 수 있게, 자신의 '존재가 무엇인지 반복적으로 말해야 한다. 배우로서, 자신의 존재가 연기 작업의 출발점이 될 수 있게, 자신의 존재를 말하고 믿는 방법을 찾아야 한다. 일상의 유약한 존재로는 충분하지 않으며, 자신이 다른 인물로 변신할 수 있게 자아 감각을 고양할 방법을 모색해야 한다.

우리는 삶에 대한 모든 반응이 감시되고, 생각과 감정이 지속적으로 의문시되고, 사회적 수용의 척도에 의해 저울질 되는 시대에 살고 있다. 일반적으로 말하면 의심, 사죄 그리고 복종의 세계에서 성장한다. 이 모든 것을 밀어내고, 우리 중 일부는 배우가 되기로 결심한다. 배우는 자신에게 연기의 재능이나 타고난 능력이 있기를 기대한다. 왜냐하면 배우의 재능은 연기에 있어 아주 중요한 문제이기 때문이다. 테크닉은 바로 재능에 호소한다. 도구는 목소리를 가진 신체이고, 배우는 신체에 자신의 재능을 쏟아부어야 한다. 자기 자신, 자신의 심리, 자신의 개성에 관련된 연습을 통해 얻을 수 있는 것은 제한적이다. 그래서 배우는 자신이 연기하도록 집필된 삶을 해석하거나 또는 자신이 리허설에서 창조해낸 삶을 연기할 수 있도록, 자신의 재능에 명확하고 객관적인 힘을 불어넣어야 한다. 좋은 의도만으로는 절대로 충분하지 않다. 춤과 화술 수업으로도 충분하지 않다. 테크닉이 필요하다.

배우는 이미지를 사용해 자신을 변신시키는 방법을 신뢰하며, 자신의 내부에 발산 에너지가 있고, 이 에너지가 형성되고 활성화될 수 있다고 믿는다. 배우의 기쁨이 매 순간 모든 것을 주는 것이라면, 거기에는 무언가 줄 것이 있어야 하고, 그래서 무한한 에너지의 공급이 있어야 한다.

연극이 무엇이 될 수 있고 무엇이 될 것인지를 상상해보면, 연극은 인간의 정신이 예술가들에 의해 재발견될 완전히 정신적인 작업이 될 것 같다. (나는 지금 신비적이거나 종교적 관점에서 말하는 것이 아니다) 정신은 구체적으로 연구될 것이다. 정신은 다른 수단들처럼 쉽게 관리할 수 있는 구체적인 도구 또는 수단이 될 것이다. 배우는 정신이 무엇이고, 어떻게 취득하여 사용하는지 알아야 한다. 우리는 정신을 어떻게 관리하는지 알게 될 것이고, 그것이 얼마나 구체적이고 객관적인지 이해할 것이다. 인간 정신의 구체적인 탐구라는 관점에서, 정신적 연극을 믿는다. 하지만 그 탐구는 과학자들에 의해서가 아니라, 예술가나 배우들에 의해서 이루어져야 한다.

(체홉, 『Lessons for the Professional Actor』)

배우는 사물의 본질에 주목한다. 그 본질에서 배우가 인물의 세계를 재창조할 수 있는 구성 요소가 발견된다. 세부 사항들은 본질로부터 창조된다.

체홉은 특별한 재능이 있는 예술가였다. 그의 테크닉은 집중하는 능력 그리고 어떻게 집중하고 무엇에 관심을 기울였는지 관찰하는 능력의 결과로 형성되었다. 그는 자신에게 적합한 방법을 찾았다. 스타니슬랍스키와의 초기 훈련은 분명한 출발점, 즉 새로운 자신의 '존재'를 알게 해주었다. 하지만 그의 테크닉은 자신만의 작업방식이었다. 그는 말했다. '나는 아무것도 발명하지 않았다. 나는 관찰자였고, 이것이 내가 연기할 때의 내 존재라는 것을 발견했다.'

배우는 자신에게 필요한 모든 것을 할 수 있도록 자신의 능력을 개발한다. 이 개발과 창조 능력은 체홉이 배우의 창조적 개성이라고 부르는 것에 속한다. 창조적 개성은 예술가가 자신의 일상을 구성하는 평범하고 진부한 요소가 아니라, 더 보편적이고 원형적인 이미지가 머무는 잠재의식 일부를 사용할 수 있게 한다.

이러한 방식으로 인물의 자아는 배우의 자아에 종속되지 않는다. 배우의 창조적 개성은 인물과의 미학적 결합을 추구하며 배우의 개성이 그 과정을 방해하는 것을 허용하지 않는다. 이것으로 배우의 연기는 예술적 창작이 된다.

우리는 연극예술에서 모든 예술적 아름다움을 상실했고, 무미건조한 사업이 되었다. 자신을 향한 태도, 신체와 목소리, 새로운 연극에 대한 접근 등 연극 전체가 배우에게 너무 물질주의적인 것이 되었다. 모든 것이 현재의 순간에 응축되고, 나아가 현재의 순간의 사건에 응축되고, 더 나아가 특정한 사건에 응축되어 있다. 미래의 연극은 모든 것을 응축하고 건조하게 만드는 이러한 방식을 답습할 수는 없다. 미래의 연극은 모든 것,

즉 관점, 표현 수단, 연극의 주제들, 그리고 그 모든 것보다 우선적으로 연기의 종류를
확장하는 정반대의 길로 가야만 한다. (체홉, 『Lessons for the Professional Actor』)

예술가들은 영감을 받은 상태에서 작업하기를 원한다. 그러나 영감은
불안정한 것이다. 체홉의 테크닉은 이러한 욕망을 해결한다. 테크닉은 예
술가를 위해 영감이 깨어나도록 유혹하는 것을 목표로 한다. 체홉이 학생
들과 연기방법에 관해 토론할 때 반복해서 언급하던 주장이다. 우리는 그
약속에서 시작한다. 테크닉을 사용함으로써, 매우 새롭지만 매우 친숙한
자신의 내부 어딘가에 도달한다는 것을 발견한다. 이 창조적 장소는 신선
하며 언제나 이용 가능하다. 이것은 배우를 순수한 연기로 인도한다. 체홉
은 이 순수한 연기가 정당화 없이, 개인적인 이유 없이, 심리 없이도 일어
날 수 있는 것으로 정의한다. 영감은 단순히 우리가 배우이고, 배우의 재
능을 발휘했기 때문에 일어나는 것이다.

배우는 결코 연기를 멈추지 않아야 한다. 항상 연기를 계속해야 한다. 배우가 연기를
안다면, 예술가로서의 내면의 삶, 힘, 아름다움이 성장할 것이고, 그 자체를 보여줄 것
이고, 때때로 예술가로서 활동적이거나 그렇지 않다고 느낄 때보다 표현 수단을 훨씬
더 효과적이고 강하게 사용할 수 있을 것이다. 이 단순하고 중요하지 않아 보이는 생각
을 이해하면, 배우는 그것이 자신에게 얼마나 많은 것을 주고 드러낼 것인지 알게 될
것이다. 또한 배우 자신의 관점을 바꾸고 자신과 자신의 예술에 대한 새로운 개념들을
얻는 것 이외에는 다른 어떤 방법으로도 얻을 수 없는 것들이 자신 안에서 생겨나는 것
을 보게 될 것이다.                                   (체홉, 『Lessons for the Professional Actor』)

다음에 나오는 도표는 체홉의 테크닉으로 연기하는 과정과 진행 단계
를 묘사한 것이다.

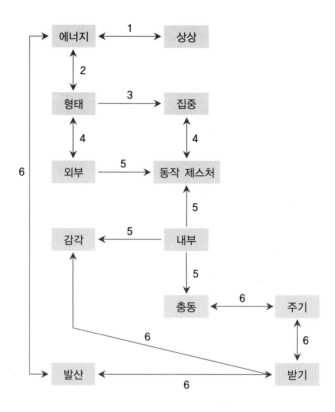

# 2장

---

# 테크닉의 5가지 지도원칙

체홉은 스스로 '5가지 지도원칙'이라고 부르는 테크닉의 원칙을 제시했다. 이 원칙은 테크닉을 습득하고 개발하는 과정으로 안내한다. 그는 일반적인 테크닉을 가지기 위해서 먼저 훈련해야 하고 그다음, 인물에 특정 테크닉을 적용해야 한다고 말한다.

실제로는 전부 합하면 5가지보다 더 많은 원칙이 등장한다. 테크닉에 대한 접근방식은 원칙을 체득하고 그것을 도구로 사용해 적용하는 것이다. 테크닉을 정복하기 위한 탐구 과정에서, 테크닉의 특정 요소를 역동적 원칙으로 구분했다. 이 원칙은 신뢰할 수 있는 힘이다. 그것은 배우가 계속 돌아오는 기준점이다. 배우가 원칙을 지지해야, 원칙도 배우를 지지한다. 원칙은 프리즘이나 도구가 될 수 있고, 그것을 통과하는 빛이 될 수도 있다. 배우는 경험하는 모든 색깔을 자신을 표현하기 위해 사용해야 한다.

## 01 테크닉(연기)은 심리-신체적이다

신체와 심리는 하나이다. 신체는 심리와의 연결에 민감하도록 개발되고 훈련된다. 존재의 상태와 조건에 관한 경험을 제공한다는 점에서, 신체의 동작은 체조적이지 않고 심리적이다. 동작 연습의 좋은 결과는 연기에 적합한 신체이다. 물론 그것이 장점이기는 하지만 목표는 아니다. 신체는 동작으로부터 심리적 가치 또는 성질을 흡수하는 스펀지 역할을 해야 한다. 동작은 반복 가능하며, 리허설 중에도 어떤 장면의 중요한 순간을 신체 안에 고정하기 위해 사용할 수 있다. 체홉이 고안한 심리-신체 훈련은 집중과 상상이라는 2가지 힘을 동시에 발전시키는 것을 목표로 한다. 의식적 동작은 근육과 뼈보다 훨씬 더 많은 것을 포함한다. 적절한 집중으로 자신을 재교육하는 동작을 경험해야 한다. 또한 자신을 통해 밀려드는 실제 동작에 익숙해진다.

분석적 지성을 통해 경험을 전달하는 습관 때문에, 배우의 일상적인 삶은 동작을 인식하는 데 방해가 된다. 의식적 동작은 일상 속에서 배우를 이끌어주는 확실한 충동을 인식하게 도와준다. 충동이 무엇인지, 어디로 이동하는지, 어떻게 움직이는지 살펴본다. 그러고 나서 충동이 내부에서 자연적으로 발생했을 때 어떻게 접근하고 따를지 배운다. 집중이 발전하면 이러한 내적 동작을 상상할 수 있고, 내적 동작이 일어나게 할 수 있다. 동작의 상상을 통해 삶과 예술 속에서 자신의 무언가를 변화시키는 힘을 개발한다. 행위와 반응, 주고받는 것, 웃고 우는 것, 살고 죽는 것은 모두 동작으로 표현할 수 있다. 동작은 배우를 통해 움직이므로, 동작이 배우를 움직이게 한다.

배우 안에서 생성하고 소멸하는 충동에 따르지 않거나 적극적으로 저항하지 않는다면, 자연스럽게 충동에 대한 의식을 잃게 된다. 학생으로서,

배우로서 우리의 초점은 내적으로 위축된 것을 다시 알아내 재활성화시키는 것이다. 유연하고 부드럽고, 잘 흡수하고 표현력이 풍부한 신체를 통해 동작의 기쁨을 느끼며, 분석적 사고로는 결코 달성할 수 없었던 육체적 지혜의 확실성을 재발견한다.

## 02 무형의 표현 수단

체홉의 테크닉의 약속은 배우에게 있어 가장 효과적이고 강력한 수단이 무형이라는 생각에 근거한다. 무형의 수단은 집중이 높아질 때만 존재하며 분위기, 공간, 발산, 관계, 내적 동작, 가상의 신체, 가상의 중심 등이 포함된다. 집중이 사라지면 무형의 수단도 사라진다. 상상과 집중의 노력 없이는 존재할 수 없다. 무형은 누구도 그 존재에 손을 댈 수 없으므로 무형이다. 집중을 통해 무형이 언제 존재하는지, 존재하지 않는지 알 수 있다. 무형이 존재할 때 자신에게 오는 무형을 받아들여 연기의 표현 수단으로 사용한다.

## 03 창조적 정신과 고차적 지성

체홉의 테크닉에는 반드시 인정해야만 하는 정신적 요소가 있다. 이 정신적 요소는 종교적인 것은 아니다. 창조적 정신(상상)은 이성적 정신과는 구별된다. 창조적 정신은 체홉이 언급한 대로 여러 가지로 하나를 만들어내는 예술가의 내면에서 작동한다. 이러한 정신적 능력은 원형을 통해 그리고 전체성을 찾으려는 욕망을 통해 파악할 수 있다. 창조적인 통합의 기능이다. 이와 같이 창조적 정신은 통합을 통해 작동하는 고차적 지성이지만, 이성적 정신은 분석을 통해 작동하는 분석적 지성이다. 분석은 분리하고 분할한다. 반면 통합은 공연 구성(역할)의 준비 단계에서 만나는 많은 이질적인 부분들을 통일하고 결합한다. 창조적 정신에 의한 연기는 직관적이어서, 결과가 나오면 적극적으로 배우의 의식에 초대되고, 결과를 경험하고 표현할 수 있다.

## 04  테크닉은 하나이다: 그것은 창조적 상태를 깨운다

테크닉에는 다수의 구성 요소가 있다. 각각의 구성 요소는 개별적으로 검증하고 철저하게 연습해야 한다. 배우는 구성 요소를 구별하는 방법을 배운다. 창조적 정신은 그것을 서로 연결한다. 개별 구성 요소는 영감의 문을 연다. 집중을 통해 그중 하나를 활성화할 수 있다. 배우는 구성 요소 모두에 친숙하기 때문에, 하나의 구성 요소로 그중 다른 하나 또는 전부를 활성화할 수 있다.

## 05  예술적 자유

테크닉은 예술적 자유를 약속한다. 체홉은 이 원칙이 테크닉 자체와의 대화를 통해 적용되기를 제안한다. 그것은 배우가 어떻게 작업할 것인지 알기 위한 방법이다. 리허설 그리고 공연에서의 연기는 배우의 작업이다. 그러나 배우가 어떻게 그것을 할 것인가? 배우에게 사용할 방법이 있고 그것이 여러 상이한 부분으로 이뤄져 있다면, 당연히 이 방법의 어떤 부분이 배우에게 가장 큰 소리로 말하는지 물어볼 필요가 있다. 이 테크닉의 어느 부분이 공연 예술가로서 배우가 추구하는 자유를 줄 것인가?

# 3장

---

# 테크닉의 역동적 원칙

## 01  에너지

에너지 없이 존재하는 것은 아무것도 없다. 에너지는 무한하다. 에너지는 더 많은 에너지를 낳는다. 발산하는 것은 모두 에너지를 가지고 있다. 에너지는 생명으로 가득 차 있다. 에너지는 생명을 유지한다. 에너지는 생명을 움직인다. 원료 에너지는 형태가 없다. 그래서 에너지에 형태를 부여하여 그것을 창조적인 것으로 만든다. 인간의 신체는 에너지 전달 통로이다. 실제 육체의 많은 부분은 상응하는 에너지를 갖고 있다. 우리 안에 존재하는 에너지의 모양은 신체와 동일한 모양이다.

# 02 상상

대담한 상상력의 챔피언, 윌리엄 블레이크는 '지금 증명된 것이 한때는 그저 상상만 했던 것이다.'라고 썼다. 그는 상상을 인간이 가진 신성하고 적극적인 재능으로 보았다. 상상은 순수 에너지에 대한 배우의 연결이다. 배우가 예술가로서 일하기 시작할 때, 제일 먼저 호소하는 것이다. 배우가 계속 노력한다면, 테크닉을 이 가장 소중한 행위인 상상에 연결할 방법을 찾을 수 있다. 상상은 연기에 대한 체홉의 접근방식의 핵심이다.

상상은 항상 사용되고 매일 개발된다. 테크닉을 배우는 학생, 배우들의 출발점이다. 배우는 예술가로서 상상하는 방법을 배우고, 다음에 창조적 예술가의 세계로 들어가기 위해 일상의 문지방을 넘는 방법을 배운다. 문자 그대로 내적 집중과 상상이 깨어나는 또 다른 세계로 들어가는 것을 배운다. 이 문지방을 넘으면 체홉이 '배우들의 행진'(actors' march)이라고 말한 진정한 배우의 길을 계속 걷게 된다. 상상의 연습은 자신에 대한 확신으로 시작된다. 다음에 나오는 문장들은 배우가 가지고 있는 신체의 도구들을 최대한 사용할 수 있게 힘을 준다.

나는 창조적 예술가이다.

나는 발산할 능력이 있다.

팔을 위로 들어 올리며 나는 땅 위로 날아오른다.

팔을 내리며 나는 계속 날아오른다.

머리와 어깨 주위의 움직이는 공기 속에서 나는 사고의 힘을 경험한다.

팔과 가슴 주위의 움직이는 공기 속에서 나는 감정의 힘을 경험한다.

다리와 발 주위의 움직이는 공기 속에서 나는 의지의 힘을 경험한다.

나는 바로 나다.    (체홉, 『The Actor is the Theater』, Deirdre Hurst du Prey)

자신에 대한 이러한 확신은 체홉이 구상한 이상적인 배우로 인도한다. 상상은 먼저 움직이는 배우의 그림을 준다. 그러고 나서 동작 없이 움직이는 배우의 그림을 준다. 인간 기능의 사용 그리고 배우로서 필요로 하는 모든 것에 대한 인식은 이미 내재해 있고, 단지 깨어나기를 기다리고 있는 것이다. 따라서 상상을 받을 수 있게 열려 있다면, 상상을 잡을 수 있게 자신의 주위에 있다는 것을 알게 된다. 이상을 향한 작업이 기쁨과 성공의 예견으로 함께 오도록, 마치 이상을 이미 달성한 것처럼 상상할 필요가 있다. 그것은 '지금 증명된 것이 한때는 그저 상상만 했던 것이다.'라는 블레이크의 말을 구현하는 것이다.

상상과 이미지의 사용은 배우에게 자신의 개성을 뛰어넘을 자유를 부여한다. 그것은 배우가 지속적으로 확장하는 힘에 이끌리도록 허락한다. 상상은 집중에 의해 작동된다.

## 03  집중

집중은 가치 있는 어떤 것을 실현하는 핵심 행위이다. 집중한다는 것은 어떤 것에 대해 더 열심히 생각한다는 의미가 아니다. 집중할 때 우리는 집중하는 대상이나 이미지를 향해 자신을 보낸다. 이미지와 하나가 되면 성질을 느낄 수 있고, 개성을 감지하고, 인상과 충동을 받는다. 집중한 예술가는 관객에게 커다란 감동을 남긴다. 집중 없이는 예술이 불가능하다.

자신을 매혹시키는 무언가를 집중해서 바라볼 때, 왠지 그것을 향해 자신이 앞으로 나아가고 있다는 느낌을 받는다. 진정한 매력으로 끌어당기는 것이다. 이것은 기분 좋은 감정이고 자신의 힘으로 일어나고 있는 집중이다. 의지적 형태의 집중은 선택한 것이 무엇이든지 간에 그것과 하나가 되기 위해 자신을 보낼 수 있을 때, 그리고 내적 의미에서 이미지 또는 대상이 무엇인지 알 수 있을 때 가능하다. 이러한 방법을 통해 이미지와 심리적으로 동일시될 수 있다.

## 04 통합

연기는 신체를 이미지로 완전히 감싸게 한다. 이미지를 경험하기 위해 그리고 자신이 추구하는 것을 표현하기 위해, 이미지는 통합되어야만 한다. 이미지는 신체 안에 혹은 신체 위에 놓여야만 한다. 이미지가 성공적으로 통합되면, 표현을 위해 신체의 도구가 작동한다. 통합은 집중의 직접적인 결과이다.

## 05 발산

연기의 내적 작업, 지식, 감정, 행위 등은 결국 관객에게 감동을 주기 위해 밖으로 나와야 한다. 배우 안에 살고 있는 것은 무엇이든지 에너지의 파동으로 내보낼 수 있다. 발산이란 영감을 받은 배우에게 수반되는 행위이다. 그것은 또한 의지의 결과로서 나타날 수 있다. 발산은 연기하는 배우와 관람하는 관객 모두에게 기쁨을 선사한다. 신체 안에 살아있는 것을 신체 밖으로 내보내는 것이다. 발산은 실제로 관객에게 나아가기 때문에 관객에게 감동을 준다.

## 06 확장/수축

자연 세계에 영향을 미치는 2가지 역동적 힘인 확장과 수축은 인간 상호작용의 기본 원칙이다. 우리를 둘러싸고 있는 주변 세계에서 확장과 수축의 효과를 아주 쉽게 볼 수 있다. 2가지 양극성으로 겨울과 여름의 차이를 관찰할 때, 겨울의 깊이로부터 여름의 높이로의 이동이 느리고 안정적인 확장임을 알게 된다. 그 반대도 마찬가지인데, 여름으로부터 겨울로의 안정적인 수축을 보인다.

모든 것은 반응하고, 모든 창조물은 성장과 소멸의 역동성을 이해한다. 신체와 신체의 각 부분인 근육, 폐, 눈, 귀, 혈관 등도 같은 방식으로 움직이고 확장하고 수축한다. 감정의 세계는 이러한 힘에 의해 통제된다. 사고의 세계도 또한 특정한 것에는 개방되고 다른 것에는 폐쇄되는 작용에 의존한다. 이것은 명백하고 단순하게 들린다. 그러나 우리는 삶의 복잡하고 세부적인 많은 것들에 치여 바쁘게 살아가는 존재들이기 때문에 삶의 가장 기본적인 것들을 잃어버리는 경향이 있다.

다른 사람에 대해 닫혀 있으면 그 사람은 자신의 관점을 납득시킬 방법이 없다. 다른 사람에게는 닫는 행위보다 더 강한 저항의 표시는 없다. 여기서 수축은 상대방에게 무언가를 하거나, 바깥쪽 또는 안쪽으로 움직이라는 신호를 보낸다.

물리적 신체와 관련된 확장과 수축은 예술적 원칙으로서 이 원칙에 따라 작업하지 않으면 테크닉을 배우기 힘들다. 학생 배우들은 최대한 많이 연구하고, 탐구하고, 시험하고, 적용해야 한다. 확장과 수축은 매우 유용하고 실용적이다.


## 07 공간은 역동적이다

가능성으로 가득 찬 공간은 배우에게 강력한 지원군이다. 체홉은 이것을 주위 공간이 바로 사용할 수 있는 상태가 된 것이라고 말한다. 공간을 두껍다고 상상하면 동작이 느려진다. 공간을 따뜻하게 만들면 신체가 열에 끌리기 때문에 사물은 보다 가깝게 나타난다. 차가움으로 공간을 채우면 거리와 선명함이 만들어진다. 차가운 공간에서 사물이 신체를 위해 존재하는 방법이기 때문이다.

향기로워지면 마음을 연다. 매캐해지면 감각을 닫는다. 공간이 차갑거나 따뜻하다고 속이는 것도 아니고, 차갑거나 따뜻하다고 보여주는 것도 아니다. 상상이 분위기를 공급하면, 차가움이나 따뜻함을 신체에 받게 되고, 반응이 무언가를 인도한다. 신체는 일관성 있고 신뢰할 수 있으며, 예측 가능하고 표현력이 있다.

분위기로 가득 찬 공간을 상상하기 위해 함께 작업하는 배우들은 놀라운 인상을 만들 수 있다.

## 08 방향은 힘이다

동작은 보통 공간에서 한 번에 한 방향으로 일어난다. 방향에는 진정한 힘으로 느끼는 6가지 방향이 있다. 역동적 방향은 확장과 수축, 앞과 뒤, 위와 아래이다. 방향이 무엇인지, 그리고 각 방향이 무엇을 의미하는지를 즉시 인식한다. 어떻게 우리가 그것을 이용할 수 있는지 빠르게 이해한다. 방향은 인간의 상호작용과 영원히 일치한다. 그것들은 모든 감각에, 배우 자신이 관여하는 모든 행위에 연결되어 있다. 방향의 인식은 배우기 쉽고 가치가 있는 과정이다. 그것은 공연을 구성하고 영향을 미친다.

## 09 양극성

두 극 사이에서 일어나는 사건이 진동을 유발한다. 대조는 사물들 서로에게, 서로 관련하여 두드러지게 한다. 대조가 없는 작품은 지루하다. 모서리가 분명하지 않으면 모든 것이 동일한 가치를 지닌 것처럼 보인다. 양극성은 사물을 흥미롭게 만든다. 체홉의 테크닉에서는 항상 양극성을 사용하는 방법을 찾는다. 배우는 연습 중에도 깊이 연구하고, 리허설과 공연 중에도 항상 생각해야 한다. 시작과 끝은 양극성이 나타나야 한다. 양극성을 찾으면 찾을수록 작업은 더 흥미로워질 것이다.

## 10  성질

무언가를 어떻게 하는 방법을 찾는 것이 예술가의 의문이다. 어떻게 역할이나 연극을 해석할 것인가? 주어진 상황으로부터 어떻게 형태와 의미를 만들어낼 것인가? 재능을 표현하기 위해 어떻게 순서를 정할 것인가? 성질은 한 가지를 다수의 상이한 것들로 바꿀 수 있다. 그것은 발차기를 키스로 또는 유혹을 살인으로 변형시킬 수 있다. '어떻게' 하는가는 창조의 기쁨이고 예술가의 즐거움이다. 성질은 무언가를 어떻게 하는가에 관한 것이다. 성질은 배우의 감정을 직접적으로 말해준다. 종종 어떤 것의 특징을 기술하기 위해 다정한, 부드러운, 강한, 용감한, 느린, 활발한, 자랑스러운, 빠른, 무거운 등과 같은 단어를 사용한다. 이것이 성질을 나타내는 방법이며, 이 단어들은 성질의 본질적 측면들을 식별하는 데 도움을 준다.

또한 성질을 사용해 외적 동작, 내적 동작 모두를 만들 수 있고, 동작을 어떻게 하는가에 따라 매우 독특한 것을 말할 수 있다. 체홉의 테크닉의 가장 흥미로운 점은 배우가 창조한 인물에 대한 원천 자료를 찾기 위해 자신의 외부로 나갈 수 있다는 것이다. 매우 실용적이고 창조적인 방법으로 주위 세계의 성질을 인식하는 방법을 배운다. 대상, 이미지, 사람의 성질을 볼 수 있다. 성질에 대한 진실을 인식할 수 있고, 성질에 대한 이해에 파고들어 가 성질에 대한 감정을 직접 경험할 수 있다. '어떻게'라는 질문을 사용해 자신을 표현한다. 성질을 통해 자신이 해야 할 행위를 표현하는 방법을 찾는다.

## 11 사고, 감정, 의지

우리가 인간이라는 가장 단순한 증거를 찾을 때, 배우는 배우로서 연기할 방법을 찾는데, 연기가 인간으로서의 배우에 대한 가장 단순한 증명이기 때문이다. 고도의 복잡성이 나타나면 단순한 기능에서 벗어난 것이다. 단순한 생각이야말로 쉽게 이해하고, 느끼고, 실행할 수 있으므로 가장 좋다.

우리는 살아있는 창조물인 인간으로서 3가지 분명한 기능을 수행할 수 있고, 생명을 구성하는 것은 이 3가지 요소의 상호작용이다. 우리는 생각할 수 있다는 사실을 매우 자랑스럽게 여기는데, 그것은 인간의 고유한 영역이며 사고하는 기능이다. 또한 우리는 느낄 수 있는 능력인 감정을 가지고 있는데 감정은 보통 사고의 결과로서 우리 안에서 일어난다. 그리고 마지막 기능은 행위로서, 의지력의 표현이다. 행위는 감정을 일으키고, 감정은 더 많은 사고를 자극하고, 그러면 사고는 더 많은 행위나 감정을 유발하고, 그다음에는 다시 더 많은 사고가, 다시 더 많은 행위가 일어나는 식으로 계속 이어진다. 이러한 견해는 사고, 감정, 의지의 3가지 기능으로 그 범위를 제한하고 있지만, 동시에 모든 가능성을 포함한다. 이 3가지 기능은 서로 관련 있는 인물, 인물이 말하는 대사, 인물이 대사를 말하고 듣는 방법 등에 연극의 재료를 주입하기 위한 훌륭한 도구이다.

이러한 개념은 새로운 것도 아니고 체홉이 창조한 것도 아니다. 그러나 체홉은 연기 작업의 원칙으로 이러한 인간의 그림을 제시했다. 실제로, 체홉이 연극 자체에 관해 토론할 때, 그는 연극을 사고, 감정, 의지를 지닌 살아있는 인간으로 볼 것을 제안했다. 그는 연극의 관념 또는 사고가 무엇인지, 감정이라고도 할 수 있는 연극의 분위기가 무엇인지, 관객에게 보이는 실제 행위의 의지가 무엇인지 찾기 위해 노력하라고 강조했다.

가장 먼저 알아야 할 것은 사고, 감정, 의지 충동 사이의 차이점이다. 사고는 신체 안에서 아주 국부적으로 일어나는 실제 생각이다. 우리는 발이 무엇인지 이미 알고 있으므로 발을 생각하지 않는다. 사고는 아직 알지 못하는 것을 생각하는 작업의 과정이다. 발을 알았다면, 발에 대해 생각할 필요가 없고, 발은 마치 의자처럼 머릿속에 이미지로 나타날 것이다. 이것은 행위가 아니고, 그냥 아는 사실일 뿐이다. 만약 의자가 불안정하다면, 왜 그렇게 됐는지 또는 그렇게 되는 것을 어떻게 막을 수 있는지 생각할 수밖에 없다. 그래서 이제 우리는 모르는 것에 대해 생각하게 된다. 아니면 아마도 무언가를 기억하거나, 무언가를 계산하거나, 무언가를 발명하려고 할 수도 있다. 이것들도 머리에서 일어나는 다른 사고이다.

가슴은 심장이 사는 곳이고, 감정의 세계는 항상 심장과 연결되어 있다. 모든 언어에서, 심장은 사랑에 의해 부서지고, 치유된다. 보통 심장으로 생각하지는 않지만, 심장으로 말하고 들을 수 있다고 한다. 가슴에서 시작된 동작은 배우를 감정 또는 인물의 감정 세계와 연결하며, 관객에게도 그 순간에 배우와 마음이 통하도록 공감할 수 있게 한다.

신체의 하부에 있는 욕망과 성의 세계는 의지의 표현을 위한 기본적인 출발점이다. 나는 원한다, 나는 가져온다, 나는 준다, 나는 거부한다 같은 행위들은 골반과 다리가 있는 신체 안에서 낮고 확실하게 발생한다. 신체의 위치에 주의를 기울이면 아주 대담하고 분명한 행위가 가능해진다.

이 모든 단순한 동작이 원시적이고 어쩌면 표면적인 것이라고 생각할지도 모른다. 그러나 체홉의 테크닉은 결코 표면에 있지 않고, 항상 배우의 핵심의 깊은 내부에 존재한다. 그래서 사고, 감정, 의지의 중심을 통해 움직이는 충동에 연결하고, 모두에게 보편적이고 인간적인 것에 동의하며, 의식적으로 그것을 사용한다.

## 12  Four Brothers

모든 위대한 예술 작품은 예술에 대한 확실한 인식을 위해 필요한 요소로, 4가지의 공통적 특징을 지닌다. 각 요소는 다른 것을 보완하고 다른 것에 정보를 준다. Four Brothers는 배우가 연기에 활용할 수 있는 아주 구체적인 유형의 수단이다. 다음과 같이 4가지로 구분한다.

## 13  편안함의 느낌

누군가가 과제나 활동을 쉽게 수행하면 분명하게 자신감이 보이기 때문에 편안함의 느낌으로 바라보는 것이 가능하다. 또한 편안함이 결여되었을 때도 쉽게 알 수 있다. 무대 위 배우의 연기에서 편안함의 느낌이 쉽게 인식되지 않으면 관객에게 해로운 영향을 미치는데, 특히 관객이 보고 있는 것이 위험이나 위험 요소를 가지고 있다면 더욱 그렇다. 관객은 적어도 배우들이 인물들에 대해 걱정하는 것과 동일한 방식으로 무대 위의 배우들에 대해 걱정하는 것을 원하지 않는다. 물론 무대 위에서의 신체의 안전은 관객과 체결한 계약의 일부는 아니다. 보통 배우는 감정과 매우 유사한 내적인 것으로 편안함을 이해한다. 편안함의 느낌은 배우가 그것을 가지려는 욕망에서 시작되고, 그것을 원하기 때문에 나타나며, 그것이 작업을 예술적으로 만드는 한 가지 방법이라는 것을 안다.

## 14  형태의 느낌

이해와 소통이 필요한 모든 것은 형태를 가진다. 신체는 형태이기 때문에, 형태의 느낌은 실제 감정으로 경험할 수 있다. 물리적 신체를 통해, 신체 안에 있는 형태를 어떻게 느끼는지에 대한 이해를 시작한다. 상처, 병, 고통과 같은 감각을 뛰어넘어 신체 내부에 존재하는 형태를 실제로 경험하는 사람은 거의 없다. 우리는 이러한 인간의 형태를 느끼기 위해, 인간 형태의 통일성뿐만 아니라 개별적 특성을 알아내기 위해 테크닉을 배운다. 형태는 다른 형태를 움직이고, 형태의 동작은 시작, 중간, 끝이 있다. 연극, 장면, 독백, 무대, 배경, 소품, 음향, 동료 배우 등도 우리가 고찰해야 할 몇 가지 다른 형태이다.

## 15  아름다움의 느낌

아름다움의 느낌은 쉽게 느낄 수 있는 것이 아니지만, 너무나 많은 가치를 지니고 있다. 아마도 진정한 의미의 느낌이라고 할 수 있다. 체홉은 자연 속의 동물들은 항상 자신들에게 진실하기 때문에 아름답다고 말했다. 꽃 위에 앉아 있는 나비, 몰래 쥐에게 다가가는 호랑이 같은 자연 속의 생물의 행위는 보는 사람을 매혹시킨다. 아름다움의 느낌은 다소 난해하다. 아름다워지려고 너무 노력해서는 아름다움을 찾을 수가 없다. 왜냐하면 집착은 단지 반대의 효과를 낳기 때문이다. 그렇지만 우리가 편안함의 느낌과 형태의 느낌 등과 같은 다른 느낌들과 함께 아름다움의 느낌 속 주위를 맴돌다 보면 가장 자연스러운 방법으로 발견하게 된다.

추한 것들을 만들 수 있지만 이는 의식적인 작업이어야 한다. 아름다움의 느낌으로 작업에 접근할 수 있다면, 무의식적인 추함을 만들지 않을 것이다. 아름다움의 느낌은 과시가 아니라 그 정반대이다. 적절하고, 고결하며, 긍정적인 것이다.

## 16  전체의 느낌

배우로서 우리는 결코 혼자가 아니며, 우리 존재보다 훨씬 더 큰 무언가의 일부이다. 우리는 하나이고, 우리가 하는 작업의 전체도 하나이며, 우리가 하는 작업의 일부도 또한 하나이다. 모든 것이 하나로 작동하며, 매 순간도 하나이고, 그 하나는 전체 구성의 통일성을 가리킨다. 시간 속에서도, 시작이 있으면 끝이 존재하고, 끝이 있으면 시작이 존재한다. 분리된 각 조각은 전체를 반영한다.

# 4장

---

# 테크닉의 도구

연극에는 항상 특정한 '무엇'이 존재한다. 예를 들어, 연극은 '무엇'이다, 우리는 '무엇'으로 역할을 연기해야 한다와 같다. 이 '무엇'에는 2가지 방법이 있다. 하나는 '왜'로 인도하는 방법인데, 이것은 순수 과학이다. 연기를 하면서, 작가가 '왜' 이것을 했는지 아니면 '왜' 저것을 했는지 알아내려고만 한다면, 결코 극중 인물을 연기할 수 없다. 다른 한 가지 방법은 '어떻게'이며, 이것이 배우가 지향해야 할 방법이다.

만일 배우가 '왜'를 알지 못하면서도 무대에서 '어떻게' 질투해야 하는지 안다면, 진정한 예술가이다. 그러나 물질주의로 만연한 세계가 '왜'의 길을 가도록 강요하면 할수록, 능력과 재능을 더 개발하지 못한다. 이 '왜'는 현대 생활에서 예술에 매우 광범위하게 퍼져 있다.

'왜'를 모르는데 '어떻게'를 알 수 있느냐고 묻는다면, 아주 물질주의적 질문이라고 말할 것이다. 왜냐하면 '어떻게'는 예술의 신비이기 때문이다. 그것은 어떠한 설명, 증명, 분석, 심리적 능력 없이도 항상 '어떻게'를 알고 있는 예술가의 비밀이기 때문이다.

(체홉, 『Lessons for the Professional Actor』)

## 01  외적 표현을 위한 내적 사건의 해석

배우가 관객에게 영향을 미치려면, 살아있어야 한다. 죽은 배우는 절대로 관객에게 영향을 미칠 수 없다. 무엇이 배우를 살아있게 하는가? 배우가 살아있다는 것의 첫 번째 의미는 정말로 살아 있는 것이다. 내면에 생명을 가지고 있는 것이다. 살아있는 신체와 죽어있는 신체를 비교해보면, 즉시 한 가지 사실을 깨닫게 된다. 살아있는 신체는 생기가 넘친다. 동작에도 생명이 내재하고 있다. 살아있는 신체 안에는 생명력이 나타나지만, 죽어있는 신체에는 존재하지 않는다.

생명력을 실제로 볼 수는 없지만 그 효과는 볼 수는 있다. 이 생명력을 에너지, 즉 살아 있는 신체에 생명을 유지하는 생명 에너지라고 부를 수 있다. 그것은 자발적이고 비자발적인 모든 동작을 가능하게 한다. 에너지의 성질은 에너지의 건강에 대한 지표이다. 살아있는 신체를 살펴보고 그 안에 있는 에너지의 성질을 확인하면, 이 유기체가 강하거나 약하다고 말할 수 있다. 에너지의 영향이 없다면 물리적 신체는 아무런 지원도 받지 못하고, 결국 죽고, 즉시 부패한다. 에너지는 존재하지만, 자신 안의 에너지를 스스로 인식할 수 있을 때까지는, 형태가 없는 그저 힘일 뿐이다.

배우로서 살아있다는 것의 두 번째 의미는 충만함과 진실로 반응하며, 마치 처음인 것처럼 인물의 상황에 자발적으로 완전히 몰두하여 새롭게 살아있는 것처럼 보이는 것이다. 물론 이것은 모든 '테크닉연기'의 목표이다. 체홉의 테크닉은 첫 번째 의미로 작업하면 두 번째 의미를 창조할 수 있다고 약속한다.

약간의 상상을 적용하면, 생명 에너지에 형태를 줄 수 있다. 생명 에너지의 형태가 물리적 신체의 내적 복제품이라고 가정하자. 인간은 신체를 가지고 있다. 그것은 형태이다. 이 형태 안에 생명 에너지로 이뤄진 또 다른 완벽한 신체(형태)가 있다고 상상할 수 있다. 물리적 신체가 움직이면, 이것은 배우의 표현 수단이 되어, 배우는 세계에 반응하여 움직이고, 사물을 향해 움직이고, 사물과 떨어져 움직이고, 사물과 함께 움직이고, 사물과 반대로 움직인다. 동감과 반감은 신체의 동작, 욕망 또는 의지의 원인이다.

동작을 상상하는 것과 그 동작을 경험하는 것은 동시에 가능하다. 그것은 간단해서, 동작을 경험하자마자 아주 많은 것을 바로 이해할 수 있다. 자신에게 팔을 위아래로 움직이라고 말하고, 동작을 한다면, 여기에는 단지 욕망만 필요할 뿐 그 이상은 아니다. 평범한 동작이며, 자신이 매일 하는 것이다. 동작이 익숙해지도록 계속 연습한 다음에, 모든 동작을 일시에 중단하고, 동작 없이 자신의 팔을 위아래로 움직이고 있다고 상상하자. 실제 근육의 동작 없이 상상만으로 이 특별한 동작을 경험하는 것인데, 이 특별한 상상은 시각화가 아니라, 동작의 상상이다. 에너지 측면에서 이 내적 동작은 실제 동작과 동일한 사건이다. 그러나 보이지 않기 때문에 그것은 배우 자신에게 속한다. 적절한 내적 동작은 좋은 연기에 필요한 표현을 배우 자신 안에서 일으키는 수단이다.

눈에 보이는 신체의 동작 없이 동작을 경험하는 능력을 훈련하기 위해서는 평범한 동작에서부터 시작한다. 그 목적은 마치 움직이고 있는 것처럼 느끼는 것이다. 일단 이렇게 외적 동작과 내적 동작이 통합되면, 그때부터 아주 즐겁고 자유롭게 연기할 수 있는 상상의 무대를 얻게 된다. 이것은 배우가 찾아서 사용하는 이미지에 의해서만 제한된다.

이러한 작업방식은 재능 있는 배우에게 가장 적합한데, 왜냐하면 테크닉의 원칙은 배우의 직접적인 매력과 배우가 지닌 내적으로 잠재된 재능을 질적으로 향상시키는 것과 관련이 있다. 배우의 재능은 더는 배우의 개인적인 것이 아니며, 관객에게 전달된다. 그것은 과거 기억의 재현이 아니라 지금 실시간의 내적 경험을 가능하게 한다. 관객이 인지하는 외적 표현은, 이 내적 경험에 대한 반응이다. 관객은 반응의 실제 원인을 알지 못하며, 인물을 둘러싼 상황인 것으로 믿는다. 배우의 재능은 2가지의 서로 상이하게 일어나는 사건(내적 또는 외적) 사이의 연결을 가능하게 하는데, 왜냐하면 배우의 재능이 관객에게 '주기'(giving)의 상태로 있기 때문이다.

인물을 둘러싸고 있는 외적 상황을 잘 파악하는 것이 배우의 의무이다. 리허설 과정에서, 배우는 다양한 내적 동작을 실험하여 공연을 위한 이정표나 닻을 내려야 한다. 공연에서 집중력은 높아지고, 배우는 충만함과 진실로 반응하며 마치 처음인 것처럼 인물의 상황에 자발적으로 완전히 몰두하여, 새롭게 살아있는 것처럼 보이게 된다. 날마다 배우를 움직이는 것은 이미지이다. 이미지에 의해 생성된 내적 사건은 배우의 신체를 관통하는 특정 충동을 유발한다. 이러한 충동에 따르거나 저항하는 것은 인물의 행위, 즉 배우의 외적 표현을 창조한다.

내적 사건이 외적 표현으로 변환된다는 이 기본적인 원칙은 테크닉의 사용 방법을 이해하는 열쇠이다. 훈련은 항상 이미지와의 동일시를 만드는 능력을 가리키고, 동작이 살아있는 생물체에 필수적이라는 것을 지속해서 확인시켜 준다.

## 02 역탐지

적절한 집중이 유지되면, 이미지와 의도는 하나가 된다. 필요한 것이 우리를 통해 저절로 움직인다. 우리는 창조적 상태로 변신한다. 자신의 길에서 벗어나 주어진 흐름에 들어갈 만큼 충분히 현재에 존재해야 한다. 지금은 분석할 순간이 아니다. 연습을 끝내고 난 후 연습에서 무엇이 일어났는지 되돌아볼 수 있고, 무엇이 어떻게 작동했는지 평가할 수 있다.

우리는 분석적 지성이 아닌 상상에 의해 연기 작업으로 인도되기를 원하지만, 보통 지성에 의해 모든 것이 이끌린다. 지성은 우리의 삶을 책임지는 데 익숙하다. 지성이 권위적 위치에 있기 때문에, 말하자면, 지성은 고삐를 내려놓는 것을 좋아하지 않는다. 체홉은 분석적 지성이 예술가에게는 일종의 적이라고 말했다. 그는 이것을 '작은 지성'이라고 불렀다. 우리는 이 작은 지성을 안다. 그것은 비판적이고, 판단하기 좋아하고, 분석적이고, 분열적인 부분이다. 많은 것에서 우리를 보호하고 이끌지만, 창조적인 상태에서는 도움이 되지 않는다. 따라서 우리는 상상을 동원하여 지성의 영향력을 제압하려고 노력한다.

연습을 마친 후, 자신의 행위를 돌아보고, 제한적으로 작은 지성을 동원하여 분석하고, 검토하는 혜택을 누릴 수 있다. 체홉은 배우 자신이 받거나 얻은 집중, 의미, 경험, 연결, 인식 등을 역으로 거슬러 올라가 분석한다는 의미에서 이것을 역탐지라고 불렀다. 작은 지성을 이용한다면, 연습 과정이 더욱 만족스러워질 것이다. 직관적이고, 충동적이고, 육체적인 실제 창조 작업으로부터 벗어날 수 있다. 역탐지는 훌륭한 리허설 장치이고, 학습 도구이다. 강의에서 역탐지가 공유되면 학생들이 연습의 가치를 이해하면서 함께 성장한다. 역탐지에서 물어볼 기본적인 질문들은 다음과 같다.

― 내가 집중한 것은 무엇인가?
― 이 동작은 나에게 무엇을 의미하는가?
― 이것과 관련한 나의 경험은 무엇인가?
― 이것에 대한 나의 연결은 어디에 있는가?
― 내가 이것을 인식하는가?
― 내가 그것을 다시 할 수 있는가?
― 내가 어디에 그것을 사용할 수 있는가?

## 03 에너지: 생명체

생명체 또는 생명신체는 내가 몇 년 전에 접하게 된 표현이다. 체홉은 그의 저서나 강의에서 이 용어를 사용하지 않았다. 나는 테크닉을 연습하면서 내면의 에너지를 묘사하는 방법으로 이 단어를 채택했다. 에너지라는 용어가, 이 난해하고 만질 수 없는 힘이 무엇인지 간결하고 완벽하게 설명한다고 믿었고, 내면의 에너지를 항상 참고하기 때문에 그것을 무언가라고 부를 필요가 있었다. 생명체를 에너지체라고 부를 수도 있지만, 생명체라고 부르는 것은 그것이 우리에게 일종의 그림을 제공하기 때문이다. 이 그림은 에너지에 형태를 부여하는 방법을 제공하고 배우로서 추구하는 삶을 제공한다. 우리는 신체를 가지고 있고 그것을 사용할 수 있다는 것을 느낄 필요가 있다. 이것은 생명체에 대해서도 동일하다.

가만히 서서 바닥에 닿는 발을 느껴보자. 보통 발이 있다는 것은 스스로 거의 인식하지 못할 정도로 아주 익숙한 경험이다. 도로 경계석을 잘못 밟아 발목을 접질리기 전까지는 자신에게 발목이 있다고 결코 말하지 않는다. 그러나 도로 경계석에서의 발목 접질림이 있고 난 후에는 비로소 걸음을 내디딜 때마다 자신에게 '나는 발목이 있다'라고 말하며 주의할 것이다.

그것이 바로 지금의 경험이 되도록 바닥 위에 서 있어보자. 바닥과 닿아있는 자신의 발을 느낄 수 있을 때, 당연하게 '나는 이 순간에 존재한다'라고 말할 수 있다. 그것은 자신의 관심이 현재 서 있음에 맞춰져 있고 그것이 현재 자신이 하는 일이기 때문에 그렇다. 그러나 보통 우리는 실제로 머물러 존재하지 않고 생각과 더불어 표류한다.

연기 연습은 발이 땅에 닿아있다는 것을 느끼는 것에서 시작해야 한다. 이것은 현재 존재하고 준비가 되어 있다고 자신에게 보내는 신호이다. 오디션, 리허설, 공연은 모두 발을 느끼는 것으로부터 시작해야 한다.

## 연습 01. 생명체 찾기

오른팔을 들어 올려 하늘을 향하도록 하자. 그런 다음 자연스럽게 제 위치로 돌아간다. 양팔을 사용해 이것을 여러 번 반복한다. 이 동작을 하기 위해 무엇이 필요한지 느껴본다. 이제 오른팔 안쪽에 에너지로 만든 또 다른 완벽한 팔이 있다고 상상한다. 그것은 물리적 팔 안에 있으며, 동일한 모양을 하고 있다. 이제 물리적 팔을 들어 올리기 전에, 생명체 팔을 먼저 들어 올린다. 물리적 팔은 자연스럽게 생명체 팔을 따라 올라갈 것이므로 하늘을 가리킬 것이다. 이제 생명체 팔을 아래로 내리고 물리적 팔이 따라 내리게 한다.

이것은 2가지 방법으로 실행할 수 있다. 첫 번째는 상상의 팔을 들어 올리고 실제 팔이 따르는 것을 보며, 그것을 하고 있는 배우 자신을 시각화하는 것이다. 두 번째는 상상의 팔을 들어 올리고 실제 팔이 따르는 것을 느낌으로써, 배우 자신이 그것을 하고 있다고 상상하는 것이다. 여기에서 중요한 것은 느끼는 것이고 보는 것이 아니다. 동작의 상상에 주의를 기울이는 것이 더 좋다. 시각화는 상상보다 더 많은 작업이 필요하지만 보상은 거의 없다. 모든 연습은 경험이 필요하다. 이러한 처음 몇 가지 연습은 다른 모든 연습이 생명체에 관심을 가지고 접근할 수 있도록 에너지 연결을 깨우는 데 초점이 맞춰져 있다.

## 연습 02. 시간선

수평선 위의 무언가를 가리키는 것처럼 왼팔을 편하게 들어 올린다. 손가락 끝까지 전부 느껴보자. 그런 다음 손가락 끝을 지나 손 바로 너머 공간에 도달할 수 있다고 상상해보자. 팔을 늘려 물리적으로 도달하는 것이 아니다. 에너지의 도달이다. 상상만으로도 가능하다고 믿어야 한다. 그러면 사실이 된다. 신체, 특히 왼팔은 쉽고 가벼워야 한다. 긴장하고 있다고 느끼면 긴장을 완화하자. 이제 신체를 약간 넘어 뻗어가서, 우리가 '내일'이라고 부르는 공간으로 발산한다. 계속 뻗고 또 뻗어나가서 '다음 주'에 도달하고, 반대쪽 벽을 뚫고 더 멀리 '내년'에 도달한다. 일직선으로 된 어떤 에너지 광선이 배우 자신의 손가락 끝을 떠나 현재 있는 방의 벽을 넘어 발산되고 있는 것을 느껴보자. 계속 앞을 바라보면서 오른팔을 뒤쪽 공간으로 들어 올린다.

이제 오른팔 손가락 끝을 넘어 '어제'에 도달하고 있다고 느껴보자. 어제 일어난 일에 주의가 산만해져서는 안 된다. 그것은 연습의 초점이 아니다. 초점은 '지난주'와 '작년'으로 에너지 광선을 활기차게 보내는 것이다. 작년부터 현재의 자신을 통해 내년까지 이어지는 에너지의 연결선에 집중한다. 이 광선과 접촉하면, 그것에 '예'라고 말하자. 이제 물리적 팔은 내리지만, 생명체 팔은 지금 있는 곳에 남겨둔다. 생명체 팔은 에너지의 연결선을 느끼도록 도와주는 선의 일부이다. 어깨를 펴자. 가상의 연결선을 느끼며 편안하게 서 있다가, 마치 미래로 걸어가는 것처럼 연결선을 따라 앞으로 걸어간다. 멈춘다. 같은 연결선을 따라 과거를 향해 뒤로 걸어간다. 멈춘다. 현재 시간을 찾는다. 물리적 팔을 들어 올려 생명체 팔과 만나게 한다. 의식적으로 과거로부터의 연결선을 회수하고 미래로부터의 연결선도 회수한다. 팔을 내리고 종료한다. 역탐지한다. 반복한다.

과거-현재-미래를 가상의 선으로 연결하는 시간선 연습은 배우가 에너지로 움직일 수 있고, 신체의 물리적 한계를 넘어 움직일 수 있고, 한 방향 또는 양방향으로 발산할 수 있다는 것을 이해하는 아주 확실한 방법이다. 가상의 시간선 자체는 매우 흥미롭다. 이것을 연습실에서 꺼내어 선을 따라 멀리 걷는 것이 가능하다. 걷기 자체가 새로운 느낌으로 다가오고, 진정한 편안함이 확실하게 나타날 것이다. 아니면 약속 시간에 늦어 어딘가로 빨리 걸어가야 할 때 시도해보자. 시간선을 따라 걷는 여정에 많은 것이 어떻게 변하는지 매우 놀랄 것이다. 일단 몇 번 해보고 나면 자신의 신체가 연결선을 자연스럽게 '알게' 된다. 그러면 더는 큰 준비 없이도, 자발적으로 양방향으로 시간선을 투사하여 걸을 수 있다.

우리가 생명체를 느낄 수 있게 도와주는 다른 연습도 있다.

### 연습 03. 새로운 눈

이 연습은 혼란스러운 방해물이 없는 큰 공간에서 하는 것이 가장 좋다. 일어서서 어깨뼈에 눈을 가졌다고 상상해보자. 그리고 그대로 서서, 어깨뼈의 새로운 눈을 이용해 뒤를 바라본다. 앞쪽의 평범한 눈은 아무런 주의도 필요 없다. 세계는 일상의 눈을 통해 다가오므로, 세계에 가지 않아도 된다. 이제 새로운 눈으로 뒤 또는 뒤쪽 방향을 보는 것에 주의를 집중하자. 앞에서는 세계가 배우 자신에게 다가오지만, 뒤에서는 자신이 세계를 '찾아야' 한다. 고개를 돌리거나 일상의 눈을 좌우로 돌리지 않고 뒤로 걷는다. 그룹으로 연습하는 경우, 다른 사람과 막 부딪힐 것 같은 때를 느끼려고(보려고) 시도해보자. 새로운 눈으로 뒤돌아보면서, 서로 자신의 길을 협의할 수 있다.

만일 혼자라면, 벽에 닿기 직전에 멈춘다. 새로운 눈으로 벽을 느낄(볼) 수 있기 때문이다. 그다음에 새로운 눈의 사용을 멈추고 뒤로 걷는다. 차이점이 있는가? 조용히 정지하고 서서, 새로운 눈으로 다시 뒤를 돌아본다. 무엇이 바뀌었는가? 새로운 눈으로 뒤돌아보기를 계속하되, 앞으로 걷는다. 앞에서 무슨 일이 일어나는지 인식해야 하지만, 새로운 눈에도 계속 집중한다. 이제 현재의 공간에 머문다. 최면상태처럼 몽롱해지면, 일단 멈추고 정신을 차려 준비한다. 집중을 개발해야 새로운 눈에 압도당하지 않고 연습할 수 있다. 이 연습을 할 때는 항상 현재에 있어야 한다. 그것이 우리를 최면상태로 떠다니지 않게 한다. 우리는 의식적으로 작업하기를 원한다. 일상의 눈으로 지나치는 사람들과 눈을 맞춰보자. 이것이 현재에 머물게 하는 데 엄청나게 도움이 된다. 그러나 새로운 눈의 연습도 계속 진행하며 머무르자.

이 연습은 공간에서 3차원적 형태가 되는 진짜 독특한 감각을 전해준다. 이것은 우리가 뒤를 가지고 있다는 감각을 제공하고, 뒤가 앞 공간과는 다른, 뒤 공간과의 관계 속에 있다는 것을 알려준다. 뒤 공간은 프레이가 강조한 개념이다. 뒤 공간과 연결되면 뒷배경 같은 단어에서 느끼듯 권력의 자리에 있게 된다. 우리가 뒤 공간을 '밝히면', 즉시 더 중요하다고 느낀다. 자신이 더 많은 공간을 점유한다고 느끼고, 작업을 하면 더 많은 결과를 얻는다고 느낀다. 약함과 강함의 선택은 공간적, 물리적인 방식으로 이해된다. 새로운 눈의 연습은 집중을 발달시키는 데 도움을 준다. 또한 심리제스처를 개발하는 과정에서도 유용하다.

새로운 눈은 항상 첫 번째 강의에서 소개하는 연습인데, 자신이 확장하는 것을 경험하게 해주고 새롭고 활기찬 출발점이 되어주기 때문이다.

새로운 눈을 통해 신체를 갖는다는 것과 신체가 공간에 있다는 것에 대한 색다른 감각을 인식한다.

## 연습 04. 생명체 느끼기

잠자는 개를 몰래 슬금슬금 지나가려는 만화 속 주인공처럼 주위를 걸어 다녀보자. 집중력이 완전히 사라져버릴 정도로 방 안을 아주 크게 과장된 방식으로 걷는다. 템포를 달리하고 걸음 폭을 다양하게 한다. 어린아이처럼 행동하며, 지금 하고 있는 동작을 즐긴다. 살금살금 걷는다. 몇 분후, 멈췄다가 다시 정상적으로 걷는다. 그러나 걸으면서, 여전히 만화처럼 걷고 있다고 상상한다. 그냥 가만히 서서 만화처럼 걷고 있다고 상상할 수도 있다. 이와 같이 걷거나 서서, 정말로 그 동작을 상상한다. 배우 자신의 근육이나 생명체의 근육에 상상을 두는 것은 매우 중요하다. 그러면 자신이 그것을 실제로 하고 있는 것처럼 느끼게 된다. 멈춘다. 역탐지한다. 신체에서 감각, 충동, 이미지 같은 것이 깨어났는가?

### 연습 05. 자신을 속이기

빠르게 앞으로 걸어가며 자신에게 오른쪽으로 돌 것이라고 말하고, 이 생각을 계속 강화한다. 그런 다음에 육체적으로 오른쪽으로 돌기 위해 준비한다. 그러나 결정적인 마지막 순간에 왼쪽으로 돈다. 이것을 양방향으로 여러 차례 시도한다. 빠르게 걸으면서 배우 자신에게 멈추라고 말하고, 멈출 준비를 하지만, 멈추지 않는다. 또는 멈춰 있다면, 완벽히 갈 준비를 하지만, 움직이지 않는다. 정말로 자신을 속이려고 노력한다. 역탐지한다.

이것은 자신이 둘로 분리되었다고 느끼는 이상한 감각을 만들어낸다. 에너지 신체는 오른쪽으로 가고 물리적 신체는 왼쪽으로 간다. 감각은 매우 짧지만 의도가 어디에 있는지, 이미 움직이고 있는 에너지 신체를 따르는 것이 얼마나 쉬운지 분명해진다. 이 연습에서는 머리가 지배한다. 그래서 에너지 신체를 따르지 않을 때 얼마나 어색한지 느낄 수 있다.

## 04 템포: 스타카토/레가토

보통 우리는 일상생활에서 하는 거의 모든 일(스포츠나 신체 운동은 제외)에서 신체를 가지고 있다는 사실을 잘 인식하지 못한다. 항상 일상적인 템포로 움직인다면, 배우 자신이 하는 일에 대한 육체적 감각을 얻는 것이 어려워진다. 매일 정상적인 템포로 반복되는 동작은 경험을 무감각하게 만드는 경향이 있다. 동작의 속도를 높이면, 동작을 하기가 조금 더 어렵기 때문에 움직이고 있다는 것을 감지한다. 동작의 속도를 낮추면, 동작을 완료하는 데 더 많은 시간이 소요되어 동작에 대해서 아주 잘 인식하게 된다. 핵심은 동작을 인식하는 것이다.

동작에 대한 '지식'을 가져야 한다. 배우의 가장 큰 문제점은 배우의 연기 도구가 일상적 삶을 살아가는 신체와 동일하다는 것이다. 매일의 삶이 동작에 대한 의식을 차단한다. 체홉의 테크닉의 초기 의도는 충동과 감각으로 느끼는 자연적 육체 반응과 다시 익숙해지는 것이다. 템포는 어떻게 특정 동작이 동일한 자연적 충동과 감각을 살아나게 하는지 발견하는 것이다.

템포는 인물의 핵심에 대한 확실한 척도이다. 템포에는 내적 템포와 외적 템포가 있다. 내적 템포는 내면의 생명이 움직이는 속도이다. 느리게 생각하는 사람, 금방 흥분하는 사람, 느리지만 단호한 의지를 가진 사람 등 인물 내부에서 시작되는 모든 것이다. 외적 템포는 육체적인 실행, 즉 동작이라고 불리는 것에 속한다. 많은 동작 연습을 실행하고 템포를 변경하여 결과를 다양하게 할 수 있다. 스타카토는 갑작스러운 정지와 갑작스러운 시작 등의 빠른 동작이다. 레가토는 느리고(슬로우 모션은 아니다) 분명한 정지가 없다. 멈춘 것일 수도 있지만, 다시 멈춘 것이 아닐 수도 있다.

### 연습 06. 스타카토/레가토

체홉의 제자이자 나의 스승인 블레어 커팅(Blair Cutting)은 체홉의 강의계획안을 따랐다. 그는 매 강의를 스타카토/레가토 연습으로 시작했다. 그에게 이것은 매우 중요한 일이었다. 나도 이 연습을 30년 이상 계속해 오고 있는데 학생이었을 때와 마찬가지로 여전히 만족스럽다. 나는 전체 체홉 테크닉이 스타카토/레가토 연습 속에 있다고 믿게 되었다. 이것은 여러 가지 방법으로, 다양한 초점으로 실행될 수 있는 연습이다. 기본적인 연습 방법은 다음과 같다.

현재의 시간에 선다. 오른쪽, 왼쪽, 위, 아래, 앞, 뒤의 6개 방향으로 움직일 것임을 알고 있어야 한다. 한 번에 한 방향으로 움직일 것이다. 하나의 동작을 만들고 이 동작을 총 36번 반복할 것이다. 오른쪽으로 돌아, 오른발을 앞으로 쑥 내밀고, 모든 체중을 실어 발을 디딤으로써 동작을 시작한다. 멀리 이동할 필요 없이, 그냥 오른발을 쑥 내밀어, 오른쪽으로 완전히 향하게 하는 런지(lunge) 자세로 충분하다. 이제 발가락에서 얼굴까지 완전히 오른쪽을 향해 있다. 하반신으로 런지 자세를 하고 있는 동안, 테니스공 두 개를 양손에 하나씩 들고 있고, 이 상상의 공을 가능한 한 멀리 언더핸드로 던질 것이라고 상상해보자.

최종 자세는 오른쪽을 향해 있는 오른발에 모든 체중이 실릴 것이고, 팔은 앞으로 완전히 뻗어 있고, 손바닥은 아래쪽을 향해 있다. 그것은 하나의 효율적인 동작, 오른쪽으로 전진하며 던지는 하나의 큰 제스처 안에서 모두 이뤄진다. 이제 이 제스처로 물리적 신체를 움직였으니, 남은 것은 내적 에너지를 오른쪽으로 보내는 것이다. 에너지는 손가락 끝, 얼굴, 가슴, 무릎에서 발산되어야만 한다. 자신이 지금 마주하고 있는 오른쪽 벽에 에너지를 던진다. 물리적 동작은 스타카토(끊어서 빠르게)의 템포로 해야 한다. 발산이 잠시 계속된 다음, 스타카토로 출발 위치에 복귀한다.

마치 결코 떠난 적이 없는 것처럼, 처음 위치로 돌아가 현재에 있는 것이 중요하다. 정리하면, 오른쪽으로 움직이는 것을 완벽히 수행하고, 에너지를 던지거나 발산하도록 도와준 던지기 제스처를 실행한 다음, 마치 결코 떠난 적이 없었던 것처럼 깔끔하게 출발 자세로 복귀한다. 이제 같은 동작을 반복하되, 이번에는 왼쪽으로 돌아, 왼발을 앞으로 쑥 내밀고, 왼쪽으로 완전히 향하게 하여, 그 방향으로 발산하고, 정확하게 출발 자세로 복귀한다. 이 자세에서 하늘을 향해 위로 에너지를 던지고, 위쪽으로 정확히 향하게 하여, 이 방향으로 얼굴을 들어 올려, 발산하고, 정확하게 출발 자세로 복귀한다.

그런 다음 모든 것을 땅을 향해 아래로 던지고, 무릎을 구부려, 바닥을 향해 아래로 발산하며, 머리를 아래로 향하게 하여, 다시 출발 자세로 복귀한다. 이제 오른발을 앞으로 쑥 내밀고 그 방향으로 에너지를 던지고, 발산하고, 복귀한다. 이제 왼발로 한 걸음 물러나서, 뒤쪽으로 언더핸드로 던지고, 발산하고, 복귀한다. 이것이 여섯 방향 모두 스타카토의 템포로 실행된, 하나의 완성된 사이클이다. 이 사이클을 스타카토로 한 번 더 반복한다. 그런 다음에 레가토(끊지 않고 느리게)로 완전히 두 번을 반복한다. 그리고 나서 스타카토로 한 번, 그리고 마지막으로 레가토로 한 번 더 반복한다. 전체연습을 완료하는 데 2분 이상 소요되지 않아야 한다.

커팅은 관객 입장 전에, 공연을 위한 준비로 무대 위에서 이 연습을 하도록 제안했다. 나는 그때도 그렇게 했고, 지금도 그렇게 한다. 이것은 연기 도구인 신체를 예열하는 훌륭한 방법이다. 또한 자신의 에너지 자아로 공간을 채우게 하는 것이다. 그것은 앙상블의 감정을 살려주기 때문에 다른 배우들과 함께할 만한 창조적 연기이다. 나는 이제 이것 없는 공연을 시작할 수 없다. 배우로서 자신의 최상의 의도를 교묘하게 방해하는, 진부하거나 부정적인 에너지를 떨쳐버릴 수 있으므로 배우에게는 일종의 정화이다.

이 연습은 신체 내의 2가지 템포를 기반으로 하여, 인물과 성질에 대한 역동적 이해를 통합하는 데 도움이 된다. 이 2가지 템포를 실행 가능한 표현 수단으로 간주한다면 템포로 많은 것을 발견할 수 있다. 두 템포 사이의 양극성은 템포에 중요한 결과를 제공한다.

## 05  감각: 확장과 수축

확장과 수축은 원칙이지만, 그것은 또한 무언가를 하는 것이기 때문에 도구이다. 그것은 내적 사건이고 만약 우리가 그것을 따르면 원칙에 관여하게 된다.

확장과 수축은 선택한 신체 어느 곳에서든 그곳에 맞게 이용할 수 있는 매우 구체적인 행위이다. 신체, 기관, 감각 또는 공간을 확장하는 것이 가능하다. 확장과 수축을 이용할 때 항상 큰 효과가 나타난다. 생명체의 성장 또는 축소를 경험하는 것은 자신을 생명력의 밀물과 썰물로 채우는 것이다. 무언가 또는 누군가에 맞서서 성장하고 있는가? 축소되고 있는가? 이것은 쉽게 답하고 쉽게 알 수 있는 매우 단순한 질문이며, 내적 행위도 쉽게 수행할 수 있다.

### 연습 07. 사람과 대상과의 관계

한 손으로 부드러운 주먹을 만든다. 주먹을 보면서 천천히 손을 편다. 이렇게 하면서 배우 자신이 성장하고 있다고 자신에게 말한다. 손이 성장, 생명력, 힘, 효과, 강인함으로 채워지는 것을 경험한다. 동작의 끝에 도달했을 때, 손이 최대한 열려있을 때, 다시 부드러운 주먹으로 수축한다. 자신이 작아지거나 쇠약해지고 있다고 자신에게 말한다. 수축하는 것을 보며, 이 동작 때문에 생명력이 사라지고 있다고 느낀다. 두 동작을 잠시 연습하면서, 지켜보고 느껴본다. 양손으로 해보고, 양팔도 추가한다. 동작을 쉽고 부드럽게 하면, 곧 확장이 무엇이고 수축이 무엇인지 느끼게 될 것이다. 이것을 이해하면, 상상 속에서도 연습할 수 있다.

미각을 가지고 있다고 자신에게 말한다. 우리는 이것을 알고 있기에, 당연한 것으로 여긴다. 이제 그것을 새로 발견한 것과 거의 같다고 말하며, 새롭기 때문에 그 가치를 인정하게 된다. 미각이 혀에 있고 미뢰(味蕾)가 있기 때문에 맛을 볼 수 있다는 것을 안다. 미각을 확장하는 것이 가능하다고 상상해보자. 알게 되겠지만, 이 행위는 익숙한 것이다. 지금 확장 행위를 유지하고 내적 행위에 따른다. 자신에게 오는 충동이 무엇이든 그것에 따르도록 허용한다. 확장에서 무언가를 받을 수 있는 한 계속 동작을 유지한다.

어떤 대상에 접근하여 그 대상과 어떤 관계를 맺고 있는지 확인한다. 이제 반대로 시도하고 미각을 수축한다. 이것은 실제로 맛보는 것이 아니므로, 여기서 이 연습에 대해 혼동하지 말자. 말 그대로 맛보는 능력을 수축하는 것이다. 초콜릿이나 멸치를 맛보는 것에 대해 이렇게 한다면, 특정 맛을 떠올리는 데 에너지를 집중하거나 운 좋게 그것을 기억해낼 수 있기 때문에 아무것도 지속할 수 없다. 그러나 우리는 성장 또는 축소를 유지할 수 있으며 그것이 항상 우리에게 말을 할 것이다. 이제 동일한 대상에 접근하여 미각을 수축한다. 그 대상과 같은 관계에 있는가?

이제 후각으로 똑같은 것을 시도한다. 먼저 자신에게 후각이 있고 그것이 어디에 있고 그것이 무엇인지 즉시 알 수 있다고 자신에게 말한다. 이렇게 하면 후각을 수축할 수 있다. 행위를 유지하고 충동에 따른다. 자신에게 일어나고 있는 일에 동의하고 그것을 붙잡고 자신을 데려가게 한다. 주변 세계를 어떻게 대하는지 주목한다.

이제 후각을 확장하고 행위를 유지한다. 자신에게 일어나고 있는 일에 동의하고 확장에 따른다. 대상과의 관계가 어떻게 변했는지 주목한다. 오감을 모두 사용해 연습할 수 있고, 쉽게 접근할 수 있는 풍부하고 미묘하며 암시가 있는 세계를 발견하게 될 것이다. 또한 이것은 체홉이 정당화 없는 연기이지만 심리로 가득한 '순수한 연기'라고 말한 접근방식의 시작에 불과하다는 사실도 알게 한다.

## 06  동작의 성질

체홉은 예술가가 물어볼 첫 번째 질문은 '어떻게'라고 명확히 말했다. 그는 리허설의 마지막에 '왜'의 질문을 하라고 권장한다. '왜 질문'으로 시작한다면, 건조하고 차가운 상태에서 연습에 참여하게 된다. 이 질문은 상상의 여지가 거의 없다. 그는 '왜'를 과학자의 질문이라고 말했다.

누가 무엇을 어떻게 하는가? 이것은 연기를 정의하는 좋은 방법이다. 결국 '왜'에 대한 답변이 필요하지만, 그것은 우리에게 '어떻게' '왜'에 대한 답변을 줄 것인지 제안한다. 누가 인물을 명확하게 하는가? 이것은 창조적인 작업이며 많은 부분이 '어떻게'를 중심으로 진행된다. 일어나고 있는 일인 무엇, 그 무엇의 대부분은 작가가 제공한 것이다. '목적'은 배우가 이끌어내도록 남겨져 있으며, 이것도 바로 무엇이다. '어떻게'라는 질문은 창조적 세계를 열어준다. 이 질문에 대한 답변은 무엇이 〈로미오와 줄리엣〉과 같은 위대한 연극을 계속해서 볼 수 있게 하는가이다. 왜냐하면 그것은 해석에 관한 것이기 때문이다. 모든 연극의 제작은 그것이 '어떻게' 해석되는가에 따라 다른 연극과 차이가 난다.

다음과 같은 질문을 던짐으로써 간단한 예를 들어보겠다. 왜 지구는 태양을 중심으로 회전하는가? 그것은 과학자들을 위한 질문이고 그들은 다음과 같이 대답할 수 있다.

두 개의 물체가 서로를 중력으로 끌어당긴다. (뉴턴의 만유인력의 법칙) 따라서 태양과 지구 사이의 인력은 지구가 뉴턴의 운동 제1법칙에 따르지 않았다면 이어졌을 직선 경로에서 벗어나 타원 궤도를 따르게 할 만큼 충분히 크다.

여기에는 상상을 자극하는 것이 거의 없다. 흥미롭기는 하지만, 예술가에게는 도움이 되지 않는다. 만일 '지구는 태양을 중심으로 어떻게 회전합니까?'라고 질문한다면, 우리는 즉시 이미지와 성질의 세계로 들어간다. 낮과 밤, 시간, 1년의 흐름, 회전과 기울기 등의 이미지를 본다. 모든 이미지는 예술가의 행위를 자극하는 힘을 가지고 있다. 그 힘이 어떻게 생겨나

느가 하는 것은 의지와 감정에 상응하는 행위와 성질이 직접 말해준다.

성질을 통해 접근함으로써 연기의 관점에서 '어떻게'의 질문을 바라볼 수 있다. 동작의 성질은 동작을 독특하게 만든다. 동작이기 때문에 배우에게 직접 말해준다. 만약 어떤 물건을 집어 든다면, 그저 신문 한 장일지라도 절대적으로 주의를 기울인다면, 그 물건에 상황과 배우의 감정을 전달할 수 있는 대상에 대한 관심이 내면에서 깨어날 것이다. 같은 물건을 거칠고 빠르게 집어 든다면, 다른 것이 깨어나고, 그에 상응하는 감정에 따라 또 다른 상황이 전달된다. 배우이기 때문에 연기한다고 믿는다면, 대부분의 성질은, 특히 배우가 어떻게 움직이는지 말해 줄 것이다.

체홉의 저서 『To The Actor』에서 제시한 첫 번째 연습은 신체를 가지고 있다는 것과 신체가 움직인다는 것을 느끼는 것이다. 거기에는 여러 가지 동작의 방법에 대한 연습이 있다. 체홉은 4가지의 뚜렷한 동작의 성질을 제시하는데 이러한 각각의 성질은 원형이다. 이것의 특징은 4가지의 성질 중 하나로 작업하면서 동시에 많은 다른 성질로도 작업할 수 있다는 것이다.

그가 부여한 이름은 조형, 흐름, 비행, 발산이다. 흙, 물, 공기(바람), 불의 4가지 요소와 매우 정확하게 대응한다.

여기에서 체홉의 연습은 매우 간단하다. 성질로 동작을 만드는 것이다. 동작에 대한 새로운 감각이 즉시 제공되어 배우의 동작 감각에 경고하고, 말하자면, 이러한 특정 방식으로 움직이는 경험이 깨어나는 것을 인식하게 된다.

조형의 동작(흙)은 마치 진흙으로 만든 공간을 통과해 움직이는 것처럼 공간에 저항한다. 신체 전부를 사용하는 조각가처럼 (흙의) 공간을 통해 자신의 길을 만들고 새기고 찌른다. 동작은 자연스럽게 느리고 무거우며, 강력하고 단호하며, 정확하고 경제적이다. 의지가 작동하기 시작하고,

형태에 관한 생각이 구체화된다.

흐름의 동작(물)은 공간에 의해 전혀 제한되지 않고 공간에 의해 주도된다. 공간은 강처럼 흐르고 있다. 흐름을 따라가기 위해 중단 없이, 선택 없이, 하나에서 다음으로 매끄럽게 이동한다. 동작은 빠르거나 느리고, 무겁거나 가벼울 수 있다. 이렇게 움직이면 편안함과 매력, 즐거움, 기쁨, 확신을 찾는다. 이런 방식으로 움직이면 무력감을 경험할 수도 있다.

비행의 동작(공기)은 동작이 일어났다는 것을 알기 전에 거의 사라진다. 공간으로 나가 절대 돌아오지 않는다. 공간은 이쪽, 저쪽, 위아래, 모든 방향으로 날아 모든 형태를 받아들이며 매우 빠르게 움직인다. 공황, 혼란과 혼돈, 기적적인 연결, 깨달음은 비행 동작에서 비롯된다.

발산의 동작(불)은 밤에 빛의 신호처럼 동작을 주목하게 한다. 이 동작은 공간의 어둠을 밝히고, 자신이 외부의 다른 것들과 접촉할 수 있게 한다. 우리는 세상을 밝히기 위해 움직일 수 있다. 이 동작은 이해와 연민으로 가득 차 있다. 항상 매력적이며 동시에 힘들거나 폭력적이지 않은 방식으로 힘을 실어준다. 에너지 광선으로 신체를 넘어 지나간다. 목적과 명확성을 가지고 있다.

다음은 4가지 요소를 구분하는 데 도움이 되는 원형의 묘사적 측면이다. 더 많은 것으로 설명할 수 있다.

흙은 진흙보다 훨씬 더 종류가 많다. 그것은 모래, 자갈 또는 무거운 돌이다. 각각의 이미지는 새로운 동작 경험을 제공한다. 흙에 약간의 공기를 넣으면 이동이 더 쉬워지거나, 아니면 완전히 멈춰 돌을 뚫고 갈 수 있다. 흙은 물과 섞여 진흙이나 비옥한 땅을 만들 수 있다. 진흙은 얼거나 불의 열로 구워져, 딱딱하게 갈라지거나 부서지기 쉬운 형태로 변한다.

물은 흐르지만, 그 안에 있는 물체는 흐름의 본질에 의해 지지가 되고 영향을 받으며, 의지하며, 느리게 위에 떠 있다. 물은 홍수와 썰물로 인해 상승할 수 있다. 작은 개울이 졸졸 흐르다 비로 인해 불어난다. 물은 지지력이 있으나 부서질 수도 있다. 파도는 도달하거나 휩쓸려온 물건을 엄청난 힘으로 움직인다. 거대한 중량과 힘으로 해변에서 격렬하게 충돌한다. 해류와 소용돌이도 있다. 물은 모든 액체를 의미할 수 있으며 각각의 액체는 혈액, 기름, 고름, 꿀 등과 같이 각각의 방식으로 움직인다.

불은 연료를 소비하고 빛, 열, 연기를 방출한다. 분노하거나 폭발하고, 춤추거나 날름대며, 내뿜거나 튀길 수 있다. 파괴적이지만 유용하기도 하다. 사람을 쫓아버리기도 하지만 손짓으로 부르기도 한다. 불은 그을리고, 말리고, 타오를 수 있다. 낮고 은밀하게 빛날 수 있다. 번쩍일 수 있다. 길을 밝히고 밤을 따뜻하게 할 수 있다. 마음을 열게 하거나 도망가게 할 수 있다. 불은 매력적이고 열성적이며 낭만적이고 대격변을 일으킬 수 있다.

공기는 빠르고 가볍다. 연, 새, 소용돌이치는 먼지의 집이다. 템포는 빠르고 가볍고 경쾌하다. 까마귀가 직접적으로, 제멋대로, 계속 날아가는 것처럼 움직인다. 차가운 바람과 부드러운 산들바람, 돌풍과 강풍, 한 줄기 바람과 회오리바람, 상승 기류와 기체 등에서 발견된다.

이러한 4가지 요소는 우주의 구성 요소이다. 배우는 이 요소를 사용해 자신의 우주를 만들 수 있다. 관계, 행위, 인물의 연기방법을 형성하는 예술의 구성 요소이다. 그것은 성질을 통해 상황을 만나고 이미지를 행위의 사실성과 연결한다.


## 07 예술적 구조: 의식적 동작

보통의 일상 동작은 일반적으로 의식이 없다. 삶을 영위하기 위해 움직여야만 하므로, 동작은 표현보다는 기능이 된다. 그래서 동작에 대한 의식을 잃는다. 배우는 동작과 표현, 동작과 삶 사이를 연결해야 한다. 예술적 구조는 수업에서 또는 리허설의 일부로 사용하는 장치이다. 공연에서는 사용하지 않는데, 너무 많은 주의가 필요하고 표현이 과장될 수 있기 때문이다. 예술적 구조를 사용해 지식과 재능을 습득한다. 결과가 발생하는 배우의 모든 행위는 준비, 행위 자체, 유지라는 세 부분으로 나뉜다. 이 세 부분이 예술적 구조를 구성한다.

연습에서 이 도구를 사용하는 것이 중요하다. 아주 간단하면서도, 노력할 만한 가치가 있다. 동작의 관점에서 그것은 동작이 세 부분으로 구성된다는 것을 의미한다. 준비는 생명체의 관여이고, 행위 자체는 물리적 동작이며, 유지는 동작의 발산이다. 동작을 발산한다는 것은 가능한 한 오래 계속 발산한다는 것을 의미한다. 다시 말해, 그것은 물리적 신체를 넘어 움직이는 생명체이다. 이 연습은 의도적인 동작을 몸에 넣는다. 그것은 많은 것을 가능하게 하고 그래서 또한 만족스럽다.

### 연습 08. 예술적 구조

예술적 구조를 경험하기 위해 연습 01로 돌아가자. 예술적 구조는 이미 그 연습에 포함되어 있다. 가만히 서서 바닥 위에 발을 느끼며 현재에 선다. 팔을 들어 올려 하늘을 향하게 하는 동작을 할 것이다. 생명체의 내적 팔을 들어 올린다(준비). 그런 다음 물리적 팔이 그 준비 동작(행위 자체)을 따르게 한다. 동작의 끝에 도달했을 때, 하늘을 가리키고 있는 팔을 더는 들어 올릴 수 없을 때, 가능한 한 오래 생명체의 내적 팔을 계속 들어 올린다(유지).

이것이 예술적 구조이다. 이렇게 하면 동작이 명확해진다. 또한 생명체가 의식적으로 참여하도록 훈련시킨다. 생명체가 동작이 어떻게 되는지 안다면, 실제로 물리적 신체의 움직임 없이도 동작을 경험할 수 있게 된다. 이것은 심리제스처를 성공적으로 수행하려는 경우에 필요하다.

## 08 행위: 심리제스처

아마도 스타니슬라브스키의 연기 예술에 대한 가장 중요한 공헌은 목적과 행위에 관한 생각이다. 목적은 작품을 형성하는 방법이며, 시간이 지남에 따라 연기를 지속하는 데 도움이 된다. 왜냐하면 목적은 연기의 견고한 발판이고 명확하며 에너지를 가졌기 때문이다. 또한 배우는 연극적 행위를 통해 제시된 이야기 또는 갈등과 반드시 일치하는 방식으로 대사를 말하고 상대 배우들과 상호작용한다. 행위가 없다면, 작가의 대본은 그저 큰 소리로 말하는 단어들의 나열에 불과하다. 장면에서 어떻게 연기할지 아는 것은 모든 배우의 진정한 관심이다. 배우는 행위를 단어, 동사, 불규칙 동사로 정의하여 마음속에 간직할 수 있고, 이것은 배우가 극작가의 의도에 따라 끝까지 연기의 방향을 유지할 수 있는 길잡이가 된다.

또한 이러한 동사를 행위의 원형적 문장으로 변환할 수 있고, 원형적 문장은 배우를 제스처로 이끌고, 제스처는 배우의 이정표가 될 수 있다. 신체에 의한 이러한 제스처(형태)는 배우에게 지식 또는 행위에 대한 물리적 연결로 직접 다가온다. 제스처는 행위를 만족시키기 위해 충동을 일으킨다. 충동이 신체에 솟아오르고, 이것이 실행할 명령을 발생시킨다. 배우는 어떤 것에 대해서도 스스로 납득할 필요가 없고, 분석적 지성이 노력에서 배제되기 때문에 어떤 것도 생각하지 않아도 된다. 내적 제스처는 무대 위 생명의 불꽃이다.

행위는 의지의 영역으로 접근해야 하며 이것은 신체의 하부에 중심을 두고 있다. 불행히도 학생 배우들은 자주 신체의 위에 중심을 두는 분석적 지성의 방법으로 행위를 이끌어낸다. 이 분석적 사고는 행위에 있어 약간의 어려움, 흔들림, 몸부림을 유발한다. 행위는 인물의 사고가 아니라 형태를 만드는 인물의 의지이다. 분명히 행위는 사고가 아니라 행위이다. 나는 무엇을 하고 있는가? 배우로서 필연적으로 직면하게 되는 이 질문, 그것이 배우를 행위로 인도한다.

내가 무엇을 하고 있는가는 아주 구체적인 행위에 관한 질문인데, 더 구체적일수록 좋다. 배우가 행위의 본질을 찾을 수 있을 때, 행위를 추구하는 제스처는 배우에게 살아 있는 것이다. 예를 들어, 연극 장면에서 행위가 다른 사람을 유혹하는 것으로 판단하면, 유혹에 관한 모든 것을 보여주는 제스처를 찾아야 한다. 제스처를 찾으면, 유혹의 제스처가 자신을 끌어당기는 것임을 알게 된다. 내가 그것을 가져올 수 있다고 유혹당하는 것이다. 내가 가졌다면, 그것은 내가 가져온 것이다. 이것이 본질적으로 진행되는 과정이며, 유혹이라는 매우 특별한 방법을 선택하여 가져온 동작이다. 여기서 '가져오는 것'이 바로 원형적 행위이며 유혹하다, 감시하다, 약탈하다, 장악하다, 살해하다 등의 더 작은 행위를 대표하는 원형 동사이다.

목적에 대해 공부할 때, '나는 무엇을 원하는가?'라는 질문의 방식으로 목적을 바라보도록 배운다. 이것은 목적을 찾는 지적 추구에 도움이 된다. 리처드 3세를 연기하는 배우라면, '나는 왕이 되기를 원한다'라는 답변으로 들릴 수 있다. 괜찮다. 배우 내면에서 무언가가 깨어나기 시작했다. 결국에는 '내가 어떻게 왕이 되는가?'라고 묻는 것이 더 중요해질 것이다. 더는 무언가를 원하는 것이 아니라 무언가를 하는 것이다. 리처드는 살인하고, 훔치고, 유혹하고, 권력을 장악함으로써 왕이 된다. 그는 어떤 행위이든, 어떤 성질이든 항상 가져오고 있다.

배우가 '나는 가져온다'라는 행위의 원형적 서술에 상응하는 제스처를 찾아 여러 가지 방법으로 작업한다면, 그것은 그를 아주 멀리 데려갈 것이다. 다행히도 원형 동사가 많지 않으므로, 선택의 단순성은 배우가 다양한 잠재력과 범위를 탐구하도록 도움을 준다. 탐구는 성질을 통해 이루어진다. 느리고 은밀하게 가져오는 것은 폭발적으로 가져오는 것과 매우 다르며, 당당하게 가져오는 것과도 다르다. 배우가 '나는 가져온다'라는 하나의 단순한 제스처에 몰입해도, 이 제스처에 추가된 성질이 각각의 가져오는 순간의 개별적 구체성을 제공한다. '내가 올바른 길을 가고 있는지'에 대해 의심과 생각으로 가득한 내면의 대화, 자아에 대한 의문은 없다. 제스처는 배우 내면에서 꾸준한 가져오기의 흐름을 연다. 가져오기의 흐름은 행위를 실행하는 충동을 생성한다.

신체는 예상하지 못한 새로운 방식으로 살아나고, 배우는 매혹적으로 변하여 관객의 마음을 사로잡는다. 이것은 관객들을 위해 매혹적인 상태를 유지하는, 공연 예술가의 진정한 재능이다. 배우가 매혹적으로 변하면 완전히 관객을 사로잡게 된다. 연극을 하며, 항상 셰익스피어의 잠재력에 매혹되지만, 배우에게 매혹되는 경우는 드물다. 그렇게 되는 것이 항상 배우가 꿈꾸는 희망이다. 그러나 더 자주 배우를 구속하는 것은 바로 언어, 구조, 줄거리의 우여곡절, 작가의 구성 등과 같은 대본 자체이다. 대사의 수렁에 빠져 꼼짝 못 하며, 신체가 아니라 머릿속에 살고 있는 배우 때문에 가끔 실망한다.

원형적 방법으로 행위를 바라볼 때, 원형적 행위가 그렇게 많지 않다는 것을 발견한다. 원형적 행위는 원하는 것에서 시작하여 점점 더 적극적이고 직접적인 것으로 이어진다.

'나는 원한다'라는 그 자체가 행위의 원형적 서술이다. 이것을 정확하게 나타내는 제스처, 욕망의 흐름을 깨우는 원초적이고 아름다운 제스처가 있다. 그것은 인간으로서 외부 세계에 전하는 첫 번째 제스처일 수도 있다. 혼자 앉아 말이 아닌 몸으로 엄마를 부르는 바로 아기의 제스처이다. 제스처는 '나는 편안함을 원하고, 음식을 원하고, 당신을 원한다'라고 말한다. 이 문장을 읽으면서, 아기의 제스처를 볼 수 있다. 왜냐하면 우리가 모두 그 제스처를 알고, 과거에 했었기 때문이다. 지금 이 제스처를 만든다면, 신체를 움직이고 싶은 욕망의 흐름을 느낄 수 있다. 그것이 배우를 행위로 유도한다.

우리는 많은 것을 원하고 또 많은 것을 원하지 않는다. 우리는 원하지 않는 것을 적극적으로 거부한다. 여기서 또 다른 원형적 문장의 하나인 '나는 거부한다'를 찾아낸다. 이것 또한 원초적이고 직접적이며 감정을 일으킨다. 다시 한번 언어를 모르는 아기가 길잡이가 된다. 거절과 거부의 제스처를 하며 아주 불편하게 앉아 있는 아기를 본다. 아기는 가장 원초적인 본능을 전달하는 제스처를 제외하고는 언어가 없으므로 너무나 순수하다. 그러나 세상에 익숙해지면서 원초적 욕구와 소망이 내면에 자리 잡고 사라지지 않는다. 그것은 신체 안에 머물고, 우리는 그것들과 직접적이지만 무의식적인 접촉을 하고 있다. 이제 우리는 '왜 이런가', '왜 저런가'에 대한 단어, 개념, 생각, 증거 등을 가지게 된다. 우리는 하나를 다른 것과 쉽게 혼동하므로, 몇 가지 원형적 행위의 이름을 정해놓았는데, 가급적 지금은 모두 기억해야 한다. 원형으로 돌아오면, 상황은 단순해지지만 그에 못지않게 더 풍부해진다.

설득할 수 없거나 설득되지 않을 때가 있다. 자신의 의견, 관점, 입장은 유지되어야 하며, 아무것도 바꿀 수 없다. 여기서 '나는 주장한다'라는 자신의 신념에 뿌리를 두고 있는 훌륭한 제스처가 우리를 인도한다. 불가능하다는 것을 알면서도 감히 다른 사람에게 의견을 바꾸라고 요구한다.

때로는 오랜 논쟁과 대립 후에 더는 자신의 입장을 고수할 수 없을 때, 구타당하거나 설득당한 후에, 양보하게 된다. 양보는 완전한 복종에서부터 매우 거만하거나 마지못해서 하는 순종까지 모든 범위에 이른다. 여기에서 '나는 양보한다'라는 서술로 또 다른 원형 제스처를 사용할 수 있다.

우리 내면에 있는 관대함은 강력한 힘이다. 다른 사람이 조금이라도 고통받는 것을 지켜보는 것은 너무 힘들다. 그들을 돕기 위해 최선을 다한다. 그들과 농담하고, 기도하고, 격려하고, 키스하고, 위로하고, 때리고, 스스로 하도록 의욕을 북돋운다. 이 모든 행위와 더 많은 것이 '나는 준다'라는 원형적 문장에 포함된다.

이러한 원형을 통한 연기 작업이 한동안 나를 사로잡았고 그래서 더욱 자세히 조사했다. 내가 발견한 것은 6개의 행위 서술이다. 이러한 서술 문장을 원형이라고 부를 수 있으며, 다른 모든 행위와 목적은 이 원형을 기반으로 한다. 나는 원한다 ─ 나는 거부한다, 나는 준다 ─ 나는 가져온다, 나는 주장한다 ─ 나는 양보한다. 아무리 노력해도 또 다른 것을 생각해낼 수는 없다. 이것으로 충분하다. 그것은 원형이기 때문에 그 안에 많은 것을 담고 있다. 성질은 사실상 무한하며 성질은 항상 원형을 구체적으로 변화시킨다. 반대 행위로 여겨지는 키스하기와 때리기는 정확히 둘 다 '주기'이다. 하나는 다정하고 부드럽다. 다른 하나는 폭력적이고 딱딱하다. 구체적인 제스처 자체도 다를 수 있다. 그렇지만, 본질적으로 그것은 '나'로부터 나와서 '너'에게 가는 것이다.

선택한 행위에 대해 가능한 한 구체적으로 설명하는 것이 좋다. 의도하는 것이 격려하는 것이라면 원형이 '나는 준다'라고 해도, 단순히 '나는 주고 있다'라고 말하는 것으로는 부족하다. 분명한 선택이 선행되어야 한다. 그래서 '나는 너를 격려하고 있다'라고 말한다. 다음 질문은 이것이 어떻게 일어나는가이다. 만일 어떻게 격려할 수 있는지에 대해 큰 소리로 말하고, 말하는 동안 그 말을 돕기 위해 손을 들어 사용한다면, 무의식적으로 주기에 관한 중요한 제스처를 했다는 것을 알게 된다. 이제 제스처가 어떻게 만들어지는지 알고 있으며, 밝은 성질과 위쪽을 통해 주기의 심리제스처를 찾을 수 있다. 마음으로 만족스러우면 더는 생각할 필요가 없다. 그러나 그보다 더 중요한 것은, 주기 제스처가 신체의 충동을 깨우기 시작한다는 것이다. 이러한 충동은 상대방을 우울에서 벗어나게 하거나 격려하는데 도움이 된다.

그런데 보통 심리제스처 훈련에서는 5개의 원형 제스처로 연습하며, 체홉은 훈련 목적으로는 5가지로도 충분하다고 말했다. '밀다, 당기다, 올리다, 던지다, 찢다'가 앞에서 언급한 6가지 원형 행위를 대신한다.

원형 제스처를 실행하는 방향은 앞, 뒤, 위, 아래, 왼쪽, 오른쪽의 6가지가 있다. 각 방향에는 서로 다른 정보가 있고, 앞에서 언급했듯이 작업할 수 있는 성질은 무수히 많다. 성질은 단지 부사일 뿐이다. 물론 처음에는 까다로운 동작이 될 수 있으므로, 움직임만으로도 쉽게 상상할 수 있는 성질로 작업하도록 주의한다. 부드럽게, 천천히, 빠르게, 가볍게, 무겁게, 조용히, 신중히, 부주의하게, 은밀하게, 폭발적으로, 게으르게 같은 단어를 적극 권장한다. 처음에는 감정 부사를 피하는 것이 좋다. 왜냐하면 배우가 화가 난 감정으로 움직이기보다는, 화가 나서 움직인다고 믿도록 자신을 속일 수 있기 때문이다. 전자는 예술적 잠재력으로 가득 차 있는 것이고 후자는 무대에서 다른 배우들에게 위험이 될 수 있다.

### 연습 09. 목적을 위한 심리제스처

'나는 원한다'라고 말하고 배우 자신의 내면에 형성된 제스처를 느낄 때까지, 이 문장을 계속 반복한다. 그런 다음 말을 멈추고 제스처를 실행한다. 제스처에 가능한 한 자신의 의식을 많이 넣는다. 자신이 제스처를 하고 있다는 것을 정확히 알아야 한다. 제스처를 하는 동안, 특히 제스처를 발산할 때, 내면에서 무엇이 일어나고 있는지 느껴보자. 제스처는 내면의 욕망의 흐름을 깨운다. 제스처에 의해 생성되는 욕망의 흐름에서 나오는 충동을 인식하자. 이제 물리적 신체 없이 제스처를 만드는 법을 배울 수 있도록, 예술적 구조를 사용하자. 여기서 예술적 구조는 매우 귀중하며 제스처의 진정한 의미를 전달한다. 예술적 구조를 사용하면 나중에 필요할 때 제스처를 무대로 가져올 수 있고, 제스처를 내면의 제스처로 만드는 데 도움이 된다. 제스처를 '무형의 표현 수단'으로 만든다.

　　나머지 5개의 행위에 대한 원형적 서술에도 이 과정을 반복한다. 내면에 형성된 제스처를 느낄 때까지 단어를 말한다. 말을 멈추고 물리적 신체를 사용해 제스처를 만든다. 신체 전체를 이용한 풍부한 제스처가 배우에게 필요하다. 제스처는 많은 공간을 차지해야 한다. 원형적 행위에는 평범한 것이 없다. 이 제스처들은 원초적이고, 그래서 효과적이다. 단어를 말함으로써 제스처를 느끼게 되고, 제스처는 의지를 깨운다. 예술적 구조를 사용한다. 역탐지한다. 경험한 것을 자신에게 말하고 역탐지로 모든 것을 강화한다.

## 09　달콤한 접점: 내적 동작 유지

　　어떤 행위에는 최고점이라고 말할 수 있는 순간이 있다. 행위로부터 가장 큰 만족을 얻을 때이다. 누군가의 얼굴을 정말로 때리고 싶다면 상당히 큰 제스처를 사용할 것이다. 제스처를 실행했다면, 가장 만족스러운 순간은 손이 얼굴에 닿는 때이다. 이것을 최고점 또는 더 정확히 달콤한 접점이라고 한다.

　　생명체로 내적 제스처를 만들면, 아주 작은 동작을 오래 유지할 수 있는 환상의 시간·공간으로 들어갈 수 있다. 때리기의 예로 들면, 손이 얼굴과 접촉할 때, 그 순간이 계속 살아있는가의 문제이다. 그 순간은 계속 일어나고 있다. 그러나 끊임없이 반복되는 것은 아니고, 항상 일어나는 것도 아니다. 그 순간은 항상 지금이고 새롭다. 그것이 바로 달콤한 접점이고 배우는 그것을 유지할 수 있다. 매우 큰 물리적 제스처를 만들었다고 할지라도 실제로 필요한 것은 결국 매우 작은 행위의 조각이다. 그럼에도 불구하고 신체 전부를 사용해 큰 제스처를 만드는 것은 물리적으로 더 몰두할 수 있기 때문이다. 신체 전부를 활용한 제스처는 너무 완벽해서 그것에 의해 흥분될 수 있는 상태에 놓인다.

이 크고 내적인 제스처를 거듭해서 반복해야 하는 것이 배우의 힘든 운명이라고 느낄 필요는 없다. 그 대신에, 내적 제스처를 더 탐구하고 조사하여, 가장 강한 흥분을 얻을 수 있다고 인식되는 제스처 속의 위치 또는 상태, 바로 달콤한 접점을 찾으면 된다. 달콤한 접점에 대해 말하는 것보다 실제로 제스처를 하는 것이 훨씬 더 쉽다. 이미 내적 제스처로 움직일 수 있다면, 달콤한 접점을 유지할 수 있다. 이러한 의식적인 노력은 리허설에서 탐구하고 연습해야 한다. 그렇게 하면 신체는 모든 것을 기억하므로, 공연에서는 별다른 노력 없이도 제스처를 할 수 있다.

### 연습 10. 달콤한 접점 유지

'나는 가져온다'라는 원형적 문장을 표현하는 심리제스처를 만든다. 신체 전체를 사용해 작업한다. 제스처가 내면에 가져오기의 흐름을 깨우는 것을 만족스럽게 느낀다. 생명체가 제스처를 알고 또한 물리적 신체 없이 제스처를 만드는 방법도 알 수 있게 예술적 구조를 사용한다. 가능한 한 오랫동안 내면에 제스처를 유지하고 충동에 따른다. 제스처가 좋고 그것이 배우 자신을 움직일 힘이 있다는 것에 만족할 때, 달콤한 접점을 찾는다. 다시 물리적 신체로 제스처를 만들기 위해 돌아온다. 제스처를 만드는 동안 세심한 주의를 기울인다. 왜냐하면 제스처에서 가장 큰 발차기와 같은 흥분을 느끼는 순간을 찾고 있기 때문이다.

달콤한 접점의 물리적 위치를 명확히 한다. 이제 예술적 구조를 다시 사용해 이 달콤한 지점을 생명체에 알려준다. 이제는 그 순간에 항상 살아 있는 생명체만을 사용한다. 계속 반복할 필요는 없지만 계속해서 일어나는 그 순간을 경험하면 된다. 여기에서 지속적인 노력을 해야 한다. 상상할 수 없는 일이지만 아주 쉽게 할 수 있다. 그것은 무형의 것 중 하나이다. 무엇인지 손가락을 대지는 못하지만, 분명히 무언가를 경험할 수 있다. 필요하다면 전체 장면에서 일어날 수도 있고, 독백이나 짧은 순간에 지속될 수도 있다.

## 10 감각: 상승, 균형, 하강

우리는 모두 과거에 불에 데거나 화상을 입은 적이 있으므로, 불을 다룰 때의 행동 요령에 대해 깊이 생각하지 않아도 된다. 신체가 자신의 경험을 모두 목격하고 느꼈다. 신체가 그것에 반응했고, 기록했다. 특정 사건에 대한 기억이 아닌 신체가 느끼는 감각으로 경험을 찾는다면, 우리는 이러한 감각이 함께 묶여 있고, 우리의 모든 슬픔은 의식적인 자아에 의해서는 잊혔지만, 신체에 의해 절대 잊히지 않는 감각으로 살아 있다는 것을 발견하게 된다. 감각이 있으므로, 과거 사건의 세부 사항이 더는 우리에게 중요하지 않다.

우리가 찾은 것은 사건에 대한 반응이 자신의 내면에 있다는 것이다. 그것이 사건을 처음 경험했을 때 자신이 만든 내적 동작에 의해 촉발되었다는 것을 다시 느낄 수 있다. 또한 체홉이 잠재의식 실험실이라고 부르는 곳에, 자신 안에서 특정 반응을 일으킨 모든 감각이 함께 살고 있다는 것을 발견한다. 모든 기쁨, 모든 공포, 모든 질투, 모든 후회, 모든 사랑, 모든 즐거움, 모든 의심, 모든 슬픔, 모든 희망이 거기에 있으며 이 모든 것을 신체가 알고 있다. 모든 감각은 원형으로서 우리 내면에 있는 각자의 집, 그 자신의 집 안에 각각 축적되어 있다. 나, 바로 배우 자신이 그것을 소환할 수 있다.

체홉의 연구에 있어 흥미로운 점은 선택의 가능성이 항상 제한적이라는 것이다. 그러나 곧 우리는 적절한 적용과 응용을 통해, 이러한 몇 가지 선택이 기하급수적으로 엄청나게 증가할 수 있음을 이해하게 된다. 내가 지금 말한 것의 확실한 예가 바로 감각이다. 죽기 직전에 체홉은 원형으로서의 감각을 실험했고, 그는 3가지의 원형적 감각이 있음을 발견했다.

첫 번째 감각인 상승은 경험할 수 있는 모든 긍정적인 감정을 포함하고 있다. 이 물리적 감각은 본질적으로 위로 올라가는 능력이다. 상승은 모든 언어에서 여러 가지 관용구로 나타나지만 여기서는 하나만으로 충분하다. 우리는 정신이 고양된다와 같이 말한다. 기쁨, 자부심, 사랑, 자유, 희망 등의 감각은 위쪽으로 움직이고, 마치 떠오르는 것으로 경험한다.

두 번째 감각인 하강은 경험할 수 있는 모든 부정적인 감정을 담고 있다. 우리는 우울하다거나 절망에 빠지다 등과 같이 말한다. 슬픔, 의심, 혼란, 공황, 절망 등의 감각은 아래 방향으로 내려가며, 마치 떨어지는 것으로 경험한다.

세 번째 원형 감각인 균형 또는 평형 찾기는 이해와 새로운 발견처럼 일시적인 감각을 내포한다. 이 균형의 순간은 땅에 발을 계속 딛고, 말하자면, 떨어지지 않고 떠다니지 않게 모두가 힘을 모으는 때이다. 떨어지기도 쉽고, 떠오르기도 쉽다. 그래서 균형을 유지하고 깨어 있으려면 많은 노력이 필요한데, 이것은 냉정, 침착, 신중, 힘, 절제 등의 감각을 동반한다.

분명히 우리는 문자 그대로 떠다닐 수 없다. 자신을 땅 위에 유지시킬 중력이 있으며, 다시 일어나기 위해 계속 넘어지는 것도 아니다. 우리는 실제로 육체적 균형에 다소 무감각하다. 이렇게 떠다니고 넘어지는 행위는 순전히 심리적인 것으로 볼 수 있고, 그래서 육체적 이해 또는 이 경우에는 육체적 감각으로 변환할 수 있다. 배우가 사용할 수 있는 매우 역동적인 현실이 된다. 신체는 감각을 느낀다. 신체 내부에서 감각은 내적 동작 또는 동작 충동에 해당한다. 체조 선수와 곡예사같이 특별한 사람들은 당황하지 않고 우아하게, 쉽게 넘어지는 방법을 배울 수 있는데, 이것이 그들의 일이고, 사람들은 이 능력에 박수를 보낸다. 그러나 살짝 넘어지거나 거의 넘어질 뻔한 상황에 놓인 평범한 사람들은 뱃속이 울렁거리는 순간적이고 확실한 공황을 경험한다.

의자에 앉으려고 가서 의자가 엉덩이 아래 일정한 거리에 있다고 판단했을 때를 떠올려보자. 그러고 나서 의자에 앉았을 때 몇 센티미터를 잘못 계산하여 아래로 쿵 하고 떨어진 경험이 한 번쯤은 있을 것이다. 그 결과로 생겨난 뱃속이 울렁거리는 듯한 감각은 갑자기 고함을 지르거나 공포의 숨을 내쉬기에 충분하다. 다시 엉덩이가 의자를 제대로 찾고 균형이 회복되면 편안한 웃음이 나온다. 이 몇 센티미터의 하강은 역동적인 경험이다. 배우에게 유용한 현실적인 사건이다. 절벽에서 아래로 막 추락하여 허우적대는 꿈에서 깨어날 때는 절망과 안도가 교차하는 순간이다. 매우 원초적인 동작이지만 그럼에도 불구하고 매우 인간적이다. 일단 평형이 회복되면 모든 것이 종료한다.

따라서 작업은 다음과 같은 질문으로 이어진다. 어떻게 심리적 하강을 유지할 수 있는가? 어떻게 균형 잡기를 원하는 진정한 공포를 지속할 수 있는가? 체홉의 접근방식은 항상 상상으로 회귀한다. 지속적인 하강에 관해 이야기하기 위해서는 그것을 상상의 하강으로 보아야 한다. 상상 속에서 시작되는 하강이지만 배우가 느낄 수 있고, 배우가 끝낼 때까지 끝나지 않는다. 실제로 우리의 관심은 하강이 아니라 하강하는 행위이다. 인간의 신체가 떨어지면 그에 수반되는 감각이 생겨난다. 체홉은 감각을 통해 감정의 문이 열린다고 말했다. 과정은 분명하다. 배우로서 아무것도 없이 그저 긴장만 떠오르는 위험으로 관객의 감동에 호소할 수는 없다. 우리는 최고를 기대하며 영감을 신뢰한다. 의사소통은 감정을 통해서이다. 체홉은 감정이 배우의 언어라고 말했다.

배우들은 슬픈 생각을 하면 슬퍼질 것이라고 믿는다. 그러나 실제로 인간에게 일어나는 변화는 슬프기 때문에 슬픈 생각을 한다는 것이다. 슬픈 생각을 하도록 이끄는 것은 신체와 신체 내면의 슬픔의 감각이다. 우리는 손과 어깨와 다리로 슬퍼하고, 동작이 무거워지며, 아래로 내려가는 감각을 가지고 있다는 사실을 인식하지 못한다. 이것은 항상 진실이며 그래서 상상으로 하강 동작을 재현할 수 있다. 감각이 시작되면, 사건의 자연스러운 흐름이 방해받지 않게 되어, 감각이 감정을 깨우고, 감정은 관객에게 보이는 최종적 외부 표현인 감동으로 인도한다.

이제 정반대인 상승 동작과 그에 수반되는 감각이 이어진다. 상상 속에서 떠오르고, 떠다니는 것을 유지하고, 위쪽으로 움직이는 신체 또는 신체 일부를 경험하는 것이 가능하다. 기쁨, 승리, 자유 등이 상승에 포함되는 감각이다.

균형 감각은 영구적인 평형의 상태를 당연하게 여기고, 하강을 막기 위해 평형 추구의 감각만을 경험하기 때문에 좀 더 이해하기 어렵다. 훈련에서는 추락 지경에 이르렀을 때, 마치 모든 힘을 다해 죽음의 나락으로 떨어지는 것을 막아야 하는 줄타기 곡예사인 것처럼 자신을 붙잡는다. 이것은 매우 강력한 감각, 새로운 발견과 힘의 순간이다. 연습을 통해 감각은 유지될 수 있고, 감정도 연장할 수 있으며, 필요할 때 사용할 수 있다. 이 3가지 주요 감각은 수직선의 작업이다.

앞뒤 방향의 수평선도 똑같이 강력하다. 공포의 감각은 뒤로 움직이는 것이고, 사용하기 매우 쉬운 후퇴 또는 도피의 구조이다. 의심, 소심, 염려, 걱정 등의 흥미로운 효과를 생성한다.

앞으로 나아가는 감각은 매우 적극적이고 확실한 의지, 자신감, 기대, 확신, 단호함 중의 하나이다.

완전한 오른쪽과 완전한 왼쪽은 심리적 의미에서 미묘하다. 그러나 이러한 방향을 동시에 작동하는 것으로 본다면, 매우 흥미로운 일이 발생한다. 성장하거나 축소하는 것을 경험할 수 있다. 이 확장과 수축은 가능성으로 가득 차 있으며, 체홉의 테크닉의 맨 아래에 있는 토대이다. 이러한 원칙을 제스처로 형성하거나, 감각 또는 내적 동작으로 경험할 수 있다.

체홉의 테크닉은 항상 배우가 인간의 상태에 대해 객관적으로 이해하도록 유도한다. 여기서 말하는 상승, 균형, 하강의 감각은 아주 인간적이고 우리 모두가 가진 것이다. 감각과 접촉할 때 그것을 인식하기 때문에 즉각적인 호감을 느끼게 된다. 그러나 더 중요한 것은 관객이 이러한 육체적 감각을 가진 배우를 볼 때, 공감의 반응을 경험한다는 것이다. 관객은 자신 안에서 무언가가 실제로 움직였기 때문에 공연에 감동했다고 말한다. 관객이 무슨 일이 일어났는지 이해하는 데 시간을 할애한다면 고양되다, 우울하다, 절망에 빠지다 등과 같이 방금 사용한 관용구의 감각이 모두 사실임을 알게 되었을 것이다.

### 연습 11. 방향의 내적 동작으로서의 감각 경험

이 연습은 체홉이 직접 만든 것으로, 이 책에 포함된 체홉의 연습 중하나이다. 그는 감각이 배우가 표현하는 감정에 접근하는 가장 간단하고 명확한 방법이라고 말한다. 육체적 감각에 호소함으로써, 우리는 확고한 토대 위에 서게 된다. 왜냐하면 우리의 지향점이 항상 신체와 함께 하는 것이기 때문이다. 자신에게 '나는 패배의 감각을 경험하기를 원한다'라고 말한다. 신체가 이 감각을 알고 있다고 믿을 수 있다. 인생에서 패배를 경험할 때마다, 배우 자신의 신체는 자신과 함께 있었고, 그래서 자신의 신체는 패배를 감각으로 기록했다. 이 감각을 요청한 후, 경험할 시간과 공간을 주면, 감각을 경험하게 될 것이다. 단순히 동작에 귀 기울이고 그 방향을 인식하는 능력이다.

이 패배의 감각은 아래로 내려가는 내적 동작으로 느낄 것이다. 말하자면 그것은 자신을 끌어내리는 것이다. 이것은 육체적 감각인데 이것이 이제 감정을 깨우고 감정은 감동으로 가는 길을 제공할 것이다. 감동은 관객이 보게 되는 외부 표현이다. 비록 어떤 상황, 어떤 이유와 연관이 없을지라도, 명령을 내림으로써 이 감각을 생산할 수 있다는 것은 정말 환상적이다. 단순히 감각을 요청하고, 자신의 신체에 무슨 일이 일어나고 있는지 민감하게 반응만 한다면, 그것을 가질 수 있다. '나는 그 감각을 경험하고 싶다'라는 간단한 명령을 반복하여 다양한 감각을 시도해 볼 수 있다. 신체는 감각을 모두 알고 있다. 다음은 몇 가지 예이다. 사랑, 공포, 수치심, 힘, 승리, 자유, 슬픔, 기쁨, 의심, 질투, 비탄, 즐거움. 그것을 요청하면 받을 수 있다.

배우는 신체적 감각을 경험하기를 원한다. 그런데 감각의 정서적 측면에 대해서는 걱정하지 않아도 된다. 주관적 경험인 정서가 나타나면 그것과 함께 가되, 그저 감각 속에 살면 된다. 감각이 강하여 자신을 이끌 것이다. 여기서 가장 흥미로운 점은 감각이 모두 정당화, 상황, 원인 없이 생겨나는 다소 추상적이라는 점이다. 감각을 가지고 사용하는 것은 배우로서 자신의 선택이다. 연극의 가상 상황이 자신의 주위에 있고, 인물이 그 상황과 관련될 때, 인물은 그 특정 순간에 맞는 감각을 받게 될 것이다. 감각은 단순히 필요한 감정에 불을 붙이는 불꽃이다. 만약 자신이 배우라면, 감각 없이 상황만으로도 자신의 감정에 불을 붙일 수 있다. 그러나 상황이 없다면, 앞에 설명한 방식으로 자신이 원하는 감각을 찾을 수 있다.

## 11 인물 구축: 막대기, 공, 베일

좋은 것을 창조하기 위해서는 확실한 토대를 다지는 것이 가장 좋다. 대본을 읽고 그 첫 번째 낭독을 기반으로 인물에 대해 결정을 내리는 것은 어렵지 않은 일이다. 이를 통해 우리는 여러 가지 상황을 탐구하기 시작한다. 그러나 아무것도 분석할 필요는 없다. 하나의 생각, 하나의 이미지만으로도 인물의 관점에서 배우를 연극으로 끌어들일 수 있다. 우리는 그것을 첫 번째 대담한 타격이라고 부를 수 있고, 연극의 신비로 들어가는 문을 열 수 있다.

햄릿을 예로 들어보면, 단지 대본을 읽는 것만으로도, 햄릿은 사고가 많은 사람으로 보이고, 그의 사고는 영혼을 괴롭히고, 행위는 그가 맞서 싸우는 주요한 갈등이다. 이것은 아주 이치에도 맞고 완전히 정당화될 수 있는 견해이다. 그래서 이 시작이 편안함을 느끼게 한다. 인간으로서 햄릿의 그림은 완성되었고, 배우는 연극을 구성할 중요한 도구를 가지게 되었다. 첫 번째 사고, 두 번째 감정, 세 번째 인물의 행위 의지로 연결되는 햄릿에 대한 이러한 관점은 배우의 내면에서 진정한 창조를 불러일으키는 이미지로 배우를 인도한다. 이처럼 햄릿이 관여하는 3가지 기능 중 첫 번째가 사고이기 때문에 그를 사고가 많은 사람이라고 부를 수 있다. 이것은 인물 탐구에 있어 중요한 구별이자 묘사이다. 사고는 막대기, 감정은 베일, 의지는 공으로 비유하여 그 성질을 표현할 수 있다.

## 12  사고

기능으로서의 사고는 특정한 성질로 움직인다. 사고의 성질은 직접적이며, 공기를 지나 빠르게 움직이는 화살처럼 진실과 거짓, 작동할 것과 작동하지 않을 것을 분리하며, 불필요한 것을 관통하여 과녁으로 가는 길을 찾기 위해 노력한다. 이 화살은 그 구조가 막대기이기 때문에 적절한 은유이다. 사고는 선형의 과정이고 막대기는 가능성이 무르익는 이미지이다. 배우가 막대기를 신체에 적용하면 흥미로운 일이 심리에 즉시 일어난다.

## 연습 12. 이미지 통합, 막대기

막대기를 마음속에 그려보자. 신체 전부가 막대기이고 막대기는 움직일 수 있다. 우선 배우 자신이 막대기가 되어야 한다. 인간이라는 것을 완벽히 잊어야 한다. 이것은 특별한 경험이다. 처음에는 이미지에 대한 전체적인 신체 탐구가 필요하다. 막대기처럼 움직이는 방법을 알기 위해 신체를 교육한다. 동작이 뻣뻣하고 매우 단단해진다. 가능한 한 많은 공간을 차지하면서, 가능한 한 최고로 크게 움직인다. 진정으로 이미지를 통합하고 신체가 그것을 이해한다고 느낄 때까지 잠시 이 동작을 한다.

일단 막대기가 되면, 신체에 의해 만들어진 단단한 동작을 외부에서 부드러워지게 하는 것이 가능하다. 이제 집중을 외부에서 내부로 이동할 때이다. 단단함이 물리적 신체에서 떨어지게 내버려 두고 생명체와 함께 막대기로 계속 움직인다. 현실적이고 실제적인 다양한 행위를 하며, 심리에서 어떤 일이 일어나는지 주의를 기울인다. 이것이 자신이 일반적으로 경험하는 방식인지 자신에게 물어보면서, 자신이 경험하고 있는 것을 정확히 파악하려고 노력하자. 올바른 방식으로 작업하고 있다면 존재의 변화를 알아차릴 것이다.

막대기는 인물 그 자체는 아니다. 우리가 한 것은 '막대기의 집'이라고 부르는 것의 문을 연 것이다. 실제로 걷고, 앉고, 서고, 눕고, 물건을 들고, 물건을 사용하고, 다른 사람에게 물건을 주고, 물건을 보고, 물건을 만지는 등등의 행위를 계속한다. 아마도 신체 어딘가에 에너지가 집중되고 있음을 알게 된다. 의식을 가지고 움직이기 때문에 일상의 자아와는 다른 느낌을 받을 것으로 기대한다. 이것은 우리가 평상시에 하지 않는 것이다. 의식적으로 움직이는 것은 매우 중요하다. 이미지에는 신체가 흡수할 정보가 함께 제공된다. 빠르고 간단하다.

이제 막대기의 집을 만들고 들어갔으니, 그 안에 있는 다양한 방을 방문할 수 있다. 통합하고자 하는 막대기의 종류나 성질에 대해 구체적으로 지정할 수 있다. 이제 막대기가 이쑤시개가 되었다고 하자. 이것은 매우 특별한 종류의 막대기로 양 끝이 뾰족하고 매우 얇아 부러지기 쉽다. 그것을 가지고 구멍을 뚫거나 찌를 수 있지만, 여전히 얇고 쉽게 부러진다. 이 쑤시개를 이미지로 사용해, 내적 동작에 대한 집중으로 돌아간다.

이쑤시개가 훨씬 더 구체적이어서 인물에 더 가까워졌다는 것을 알게 된다. 그러나 자신의 신체에 아직 완전한 인물은 없다. 이 집의 다른 방에는 야구방망이, 아름다운 무늬를 새긴 나무젓가락, 경찰 방망이, 쇠 파이프, 연필, 나무줄기, 칼, 모자 핀 등이 있다. 단단하고 뻣뻣해서 구부러지지 않는 물건도 이 '집'에 들어갈 수 있다.

햄릿의 막대기의 종류는 배우 자신에게 달려있고, 햄릿과 햄릿에 속하는 성질도 배우가 어떻게 상상하는가에 달려있다. 이 새로운 동작과 행위 방식을 리허설로 가져오면 이성적인 분석이 아니라, 배우의 직관, 연상, 상상에서 나오는 선택이 가능해진다. 아주 간단한 이미지로 계획 없이 시작할 수 있게 된다. 배우는 이 새로운 동작과 행위 방식을 통해 인물에 대한 많은 것들을 찾을 수 있고, 리허설을 진행함에 따라 마치 자신이 자석인 것처럼, 다른 멋진 이미지들이 자신에게 달라붙을 것이다. 그리고 이 처음의, 원초적인 작업들은 더 풍부하고 더 정교한 작업들로 대체될 것이다.


## 13  의지

만약 자신이 사고가 많은 사람이 아니라 행위나 의지가 많은 다른 인물을 작업한다면(행위가 첫 번째 충동인 로미오라고 가정하자), 다른 집을 방문해야 한다. 3가지 기능이 로미오에게 적절한 순서로 배치되면, 우리는 그가 먼저 행위를 하고, 다음에 감정을 가지고, 그 후에 자신의 감정에 대해 생각한다는 것을 파악한다. 여기에서 탐구할 이미지는 공이다. 구르고 튕기며, 계속 움직일 수 있는 공은 로미오에게 아주 적절한 이미지이다. 영원한 움직임 같은 것을 상상할 때, 우리는 태양계의 행성과 같은 구형의 이미지로 인도된다.

### 연습 13. 이미지 통합, 공

다시 공에 대한 상상에서 시작하자. 그런 다음 공을 통합할 수 있도록 전체적인 신체 탐구를 진행한다. 원한다면 할 수는 있지만, 바닥에 내려가 뒹굴 필요는 없다. 오히려 구르고 튕기는 모양과 감정으로 작업해본다. 물건을 굴리고 튕기는 행위를 계속 유지한다. 배우 자신의 동작이 실제로 연속적이라는 것을 알게 되고, 마치 적극적이고 자발적인 방식으로 자신의 주의를 끌 수 있는 무언가를 끊임없이 찾아 헤매는 것처럼 보일 것이다. 신체가 공의 본질을 이해한다고 느낄 때까지 계속한다. 이제 내부에서 공처럼 움직이는 것에 주의를 돌린다.

모든 추상적인 종류의 동작이 자신의 물리적 신체를 벗어나 가능한 정상적으로 외부로 움직인다. 자신은 지금 인간이지만, 구르고 튀는 공의 에너지가 생명체로부터 자신을 이끌어내고 있다. 이것이 자신의 일상의 경험과 일치하는지 자신에게 물어본다. 아니라면, 어떻게 다른가? 막대기로 했던 것처럼 다양한 행위를 진행한다. 인물이 할 것 같은 행위에도 참여한다. 막대기와는 다르다는 것이 분명해져야 한다. 여전히 아직 인물이 아니다. 이것은 자신을 인물로 이끄는 방법일 뿐이다. 이제 '공의 집'에 들어왔다. 만약 자신이 사물을 보는 이 새로운 방식을 사용하고 있다면, 막대기에서처럼, 이 집의 방을 최대한 많이 만들고 방문하는 것이 중요하다. 할 수 있다. 가능한 방으로는 탁구공, 축구공, 당구공, 비치볼 공, 운동용 공, 계란, 농구공, 야구공 등이 있다.

공의 집과 공을 연결하는 것은 공이 구르고 사물과 부딪히고 튕기는 특징에 의해서이다. 각각의 공은 다른 공과 상당히 다르고, 특정한 움직임의 방식을 가지고 있으며, 다른 목적을 가지고 있고, 고유한 자체의 성질을 가지고 있다. 각각의 공은 서로 다른 종류의 의지를 표현할 수 있으며, 상상력이 풍부한 배우는 자신의 탐구에 따라 로미오에 가장 적합한 공을 찾아낸다. 행위 의지가 그의 첫 번째 기능이기 때문에 로미오를 행위가 많은 사람 또는 의지가 많은 사람이라고 부를 수 있다. 그렇다고 해서 그가 단지 행위에만 의존하는 것은 아니며, 그의 감정과 사고 없이는 연극이 살수 없다. 의지는 우리가 찾고 있는 매우 특별한 존재 방식이며 일상적인자아를 일관된 인물로 변신시키는 방법이다. 그는 의지 유형의 사람이며 공은 그를 이 유형 안에 포함하는 데 도움을 준다.

## 14  감정

다음 유형은 감정이 많은 사람이다. 줄리엣이 하나의 예이다. 그녀의 감정은 그녀를 행위로 이끌고 그 행위는 마침내 사고가 된다. 이 유형의 인물은 집중할 또 다른 이미지가 필요하며, 이 이미지는 베일이다. 이 물건을 움직이려면 외부의 영향이 필요하다. 베일은 가볍고 반투명한 천으로, 한 곳에서 동작이 시작되면 나머지는 뒤따른다. 바람이 불거나, 집어던지거나, 떨어질 때까지 움직이지 않는다. 섬세하면서 동시에 강하다. 부드러우며, 움직이는 방식은 물 흐르듯 간접적이다.

### 연습 14. 이미지 통합, 베일

이 새로운 물체에 대해 전체적인 신체 탐구 절차를 다시 한번 반복한다. 동작을 통해 배우 자신이 베일이 되도록 한다. 인간을 잠시 내버려 두고 베일로서 움직인다. 자신이 지금 어떻게 움직이고 있는지, 동작이 유연하고 부드럽고 가볍고 쉽고 순종적이고 조용한지 주목한다. 자신의 신체가 베일로부터 정보를 흡수할 때까지 동작을 유지한다. 이제 베일로서 움직이는 생명체와 인간이 된 외부 신체에 집중한다. 외부로의 동작이 더는 특이하지 않고 주의를 끄는 것도 없지만, 내부에는 이미지가 아주 많다. 이러한 동작을 완료하면, 베일 및 베일과의 관계 등 실제적인 작업을 한다. 그동안에는 자신의 내적 신체가 자신을 이끌게 한다. 막대기와 공으로 했던 것과 동일한 질문을 자신에게 한다.

이것이 자신이 일반적으로 경험하는 방법인가? 아니라면, 무엇이 새로운 경험인가? 신체의 어디에 에너지가 집중되어 있는가? 변신했는가? '베일의 집'에 들어갔다면 그것이 막대기나 공과 얼마나 다른지 깨닫는다. 베일의 집에서 다양한 방을 만들고 방문할 수 있도록 연습을 계속한다. 다른 것들과 마찬가지로, 집에 연결할 수 있는 물건을 찾는다. 이러한 대상들은 이동, 순응, 유연성 면에서 부드러운 성질을 가진다. 이 집에 속하는 가능한 대상은 면실, 쇠사슬, 금실, 밧줄, 커튼, 섬세한 전통 비단 조각, 가죽 벨트, 젖은 수건, 담요 등이다.

자신이 베일로 움직일 때 중요한 사실을 이해하게 된다. 그것은 바로 줄리엣이 막대기처럼 움직일 수 없다는 것이다. 그녀를 막대기로 상상하는 것은 사실상 불가능하지만, 베일처럼 움직이는 그녀는 편안할 수 있다. 줄리엣에게 어느 베일이 속하는가는 전적으로 배우 자신에게 달려있다.

이 작업의 목적은 선택한 이미지와 심리적으로 동일시될 때 실현된다. 배우는 곧 모든 이미지는 심리를 가지고 있고, 모든 이미지는 일상생활 밖에 있는 무언가로 자신을 이끌 수 있다는 것을 깨닫지만, 동시에 친숙한 세계가 배우 자신의 창조의 원천으로써 자신에게 열리기 시작한다.

막대기, 공, 베일 등 3가지 원형 이미지는 배우를 각각의 유형으로 직접 인도한다. 여기에서 조명된 사고가 많은 사람, 의지가 많은 사람, 감정이 많은 사람 등 3가지 유형은 실제 드라마의 세계에 살고 있는 인물이다. 유형에는 우리가 작업한 인물도 포함될 수 있지만, 그저 유형에만 만족할 수는 없다. 유형의 관점에서 사물을 더 깊이 들여다볼 필요가 있다.

## 15 인물 구축: 원형, 심리제스처

사전에서는 모든 유형이 파생되는 기본 유형으로 원형을 정의한다. 사람들은 원형이 어떤 것을 대표하여 포괄하는 이미지라고 말한다. 원형은 또한 그 이미지 안에서 생성되는 작은 생각을 포함한다. 예를 들어 고양이를 원형이라고 생각해보자. 사자, 호랑이, 표범, 스라소니가 각각 다른 동물이라는 것은 쉽게 알 수 있지만, 모두 고양잇과 동물이다. 고양이의 원형은 각각의 개별성을 감소시키지 않으면서 동시에 모두를 집합적인 것으로 평가할 수 있다. 우리가 이 동물들을 공부했다면, 그것들을 먼저 고양잇과 동물로 관찰하고, 그다음에 사자, 호랑이, 표범, 스라소니로 살펴볼 수 있어서 이해가 조금 더 쉬웠을 것이다.

선구적인 심리학자 칼 융(Carl Jung)은 집단적 이미지로서의 원형이 인간의 정신에 미치는 영향에 대해 많은 이야기를 했다. 그의 연구와 제자들의 연구는 난해하고 방대하다. 여기서는 특정한 이미지가 다양한 문화권에 걸쳐 인간의 삶 속으로 파고들었다고만 말해두자. 이미지는 융이 집단 무의식이라고 이름 붙인 곳, 바로 우리 내면에 있다. 문화와 역사가 이 집단 무의식 속에 쏟아져 들어왔고, 그것은 활동하고 있지만 의식적인 통제가 거의 없는 인간 정신의 내면의 영역이다.

체홉이 개발한 연기 개념들은 이러한 집단 무의식 에너지에 크게 의존한다. 우리는 훈련과 연습을 통해 특정한 이미지에 대해 특정한 반응을 기대할 수 있다는 사실을 발견한다. 방안에 가득 찬 배우들에게 영웅의 원형을 명확하고 간결하게 표현할 수 있는 물리적 육체의 큰 동작을 만들어 보라고 하면, 거의 모든 배우들이 같은 방향으로 움직인다는 것을 알 수 있다. 영웅은 골리앗을 죽인 다윗에서부터 악의 제국을 무찌르는 루크 스카이워커에 이르기까지 역사든, 모든 위대한 문학이든 어디에나 존재한다. 이미지는 배우 안에 살고 있고, 배우는 신체를 움직여 이미지에 반응한다.

배우에게 특히 중요한 것은 신체를 움직이게 만드는, 강요하는 방향이다. 배우들이 방에서 움직이며 만드는 실제 영웅 제스처는 서로 다를 것이다. 이것은 개별 배우가 동작을 만든 결과이다. 그러나 모든 동작은 원형 에너지에 대한 집단적 반응이기 때문에 앞으로 그리고 위로 향할 것이다. 동작이 가고자 하는 방향은 배우에게 유용한 정보이다. 왜냐하면 배우는 살아있는 진실로 그것에 의지할 수 있기 때문이다. 첫째는 충동이다. 만일 자신이 특정한 방향으로 움직이면, 그 방향에는 배우가 가져가서 사용할 수 있는 정보가 있다. 자신이 관객으로서 동작을 바로 눈앞에서 본다면, 무슨 일이 일어나고 있는지 바로 이해할 수 있다. 여기서의 이해는 의식적인 것이 아니다. 그냥 느껴지는 것이다.

연결 또는 관계는 창조를 위한 원천 자료로서 개인 간의 한계를 초월하는 더 큰 생각을 만든다. 원형은 무의식이 의식과 소통하는 방법이며 신체는 이러한 소통의 매개체이다. 이 과정을 반대로 할 수도 있다. 원형에 상응하는 심리제스처를 만듦으로써, 의식의 자극을 초래하는 무의식 속의 진동과 접촉한다. 이것이 본질적인 체홉의 테크닉연기이다. 체홉은 다음과 같이 말했다.

삶의 과정에서 경험하는 모든 것, 관찰하고 생각하는 모든 것, 행복하거나 불행하게 하는 모든 것, 모든 후회 또는 만족, 모든 사랑 또는 증오, 갈망하거나 회피하는 모든 것,

모든 성취와 실패, 태어날 때 이 삶에 가져온 모든 것, 기질, 능력, 성향 등 이 모든 것이 잠재의식 영역의 일부이다. 그곳에서 자신에게 잊히거나 알려지지 않은 것들은 모든 이기주의를 정화하는 과정을 거친다. 그것들은 자체로 감정이 된다. 그래서 정화되고 변환된 그것들은 개성이 인물의 환상적 '영혼'인 심리를 창조하는 재료의 일부가 된다.

(체홉, 『To The Actor』)

이런 식으로 동작에 대해 작업하는 것은 몇 가지 이점이 있다. 미학적으로 기쁘게 지켜보고 실행할 수 있는 잘 정의되고 묘사된 동작으로 배우를 이끈다. 또한 형태의 느낌을 촉진하지만, 가장 중요한 것은 체홉이 말한 내적 제스처를 하도록 배우를 훈련시킨다. 심리제스처는 결국 내면의 제스처가 되어야 한다. 그것은 물리적 신체를 이용해 발견할 수 있고, 원형에 상응하는 것이며 그 형태도 원형이다. 심리제스처는 외부에 절대로 보이지 않는다. 그것은 내적 제스처, 즉 '인물의 의지력의 결정체'라는 체홉의 말속에 있는 원형적 이미지가 되어야 한다. 이것은 심리제스처의 또 다른 응용이다. 행위의 심리제스처는 '나는 지금 이것을 한다'라고 말한다. 원형 제스처는 '나는 원한다', '나는 거부한다'와 같이 '나는 존재한다'라고 말한다. 제스처는 이 특별한 의지의 성질이 무엇인지 알 수 있게 도와준다. 행위를 하는 것은 인물이다. '나는 지금 이것을 하고 있다'.

인물을 위한 모델로서 올바른 원형을 찾는 것은 매우 간단하다. 아리스토텔레스는 인간은 그의 행위의 총합이라고 말했다. 대본을 읽고 대본의 사건 진행에 따라 인물이 한 행위 목록을 작성한다. 완료된 행위를 통해 개인을 이해할 수 있다. 유한한 연극 세계 안에서 작가가 제공한 사실에 매달리면 된다. 이것을 행위 완료 목록이라고 부를 수 있다. 이러한 행위 목록이 있으면 인물을 정의하는 결론을 도출할 수 있다. 원형은 이러한 행위를 서로 연결하는 실이다.

이미지만으로도 도움이 되지만, 원형 제스처를 만들면 의지에 더 깊이 들어갈 수 있다. 제스처에 형태를 줌으로써 충동을 물리적으로 수용하면, 이미지가 통합된다. 심리제스처는 자신의 신체 안에서 의지의 성질을 결정하는 도구이다. 이 도구에 집중하는 재능 있는 배우는 리허설에 참여한 다른 도구와 연결한다. 그것은 서로 다른 회로 위를 여행하는 응용 에너지의 문제인데, 각각의 에너지는 하나의 공급원에 공감하여 진동한다. 역동적 진동 에너지인 원형을 사용해, 에너지에 공감하는 진동을 가질 수 있게 우리 자신 안에 조건을 설정하는 것이 우리의 임무이다. 이것은 배우가 진실하게 느끼는 것들이며, 예술적 자기표현을 위한 진정한 양식이다. 이것이 4번째 지도원칙이 적용되는 방식이다.

배우는 원형을 외치며 무대에 올라가지 않는다. 오히려 인물은 원형을 먹고 그의 모든 행위에 원형을 쉽게 반영한다. 체홉은 배우가 원형을 인물로 제시하는 것을 권장하지 않았다. 이미지는 너무 많은 힘이 있다. 원형은 명확하게 정의된 개인이 아니다. 공연에서 원형만 보여주는 배우는 강해 보이지만, 특징이 없다. 배우는 조금 흐릿하게 보이고 아무것도 펼쳐 보일 것이 없기 때문에 금방 관심을 잃는다. 원형은 그저 버려진 힘이 된다. 짧은 순간 동안 놀랄 수 있고, 아마도 스타일이나 형식을 중요시하는 연극에서는 유용할 수도 있다.

우리가 관심을 두는 것은 원형 그 자체가 아니라 원형이 가지고 있는 의지력의 유형이다. 의지는 의식적으로든 무의식적으로든 작가가 인물을 구축한 것이며, 인물 행위의 총합 뒤에 있는 에너지이다. 인물의 본질을 포착하는 원형적 접근방식은 아주 명확해서 좋다. 체홉도 원형이 '우리가 인물을 위해 울리는 첫 번째 명확한 종'이라고 말했다. 리허설을 통해 신체가 원형에 대한 심리제스처를 생성하여 에너지의 진동을 직접 경험하기 때문에, 이미지의 에너지는 신체에 직접 전달된다.

원형과의 교감은 배우의 창조적 개성에 무언가를 제공한다. 배우는 자신의 이미지에 반응하고, 자신에게 봉사할 이미지가 언제 도착했는지 알 수 있다. 마치 '이것이 작업할 이미지이다'라고 말하는 것처럼 어떤 분명한 확인이 나타난다. 내면에서 종소리가 울릴 것이다. 원형으로 작업하는 진짜 목적은 배우 앞에 있는 모든 이질적인 요소를 통합하는 것이다. 모든 것을 하나로, 하나의 지도원칙으로, 행위를 가능하게 하는 전체의 느낌으로 묶어야 한다.

### 연습 15. 방향과 심리제스처

원형을 표현하는 심리제스처를 찾기 위해, 두 발을 바닥에 대고 가만히 서 있는 것에서부터 시작하자. 단어로 구성된 원형의 이름을 지정하여 부드럽게 말한다. 신체에 주의를 기울인다. 이름을 말하면 움직이고 싶은 충동을 느낄 것이다. 충동을 기다리고 있다면 느낄 것이다. 이 충동은 방향에 따라 결정된다. 위아래로, 앞뒤로 움직이거나 확장 또는 수축을 원하는 것처럼 느낄 것이다. 앞으로/위로 또는 앞으로/아래로 등과 같이 다양하게 조합하여 움직일 수도 있다.

연습하는 동안 6가지 방향을 지향한다면 배우 자신이 찾고 있는 것을 이해하고 경험할 것이다. 다른 원형을 사용해 여러 번 시도하자. 조용히 서서, 원형의 이름을 말하고, 충동을 기다린 다음 충동이 가고자 하는 방향을 인식한다. 왕, 바보, 패배자, 어머니, 영웅, 노예, 전사, 희생자, 신, 악마, 창녀, 도둑, 고아, 아버지, 도박꾼, 은둔자, 방관자, 군인, 몽상가 등은 선택 가능한 원형들이다.

심리제스처는 원형의 본질을 표현하는 전신 동작이다. 제스처는 움직여야 한다. 원형이 어느 방향으로 움직이는지 알고 있으므로, 제스처의 85%를 알 수 있다. 나머지 15%는 팔, 머리, 다리, 손, 발, 몸통을 사용해 충동에 형태를 부여하는 것이다. 자신이 이미 제스처를 알고 있다. 그래서 '원—투—쓰리 go'라는 구령으로 심리제스처를 만든다. 그렇게 함으로써 그것이 자신에게 좋은지 유용한지 알게 될 것이다. 그것이 자신에게 말하고, 자신이 원형의 에너지를 느낀다면 스스로 발전시킬 수 있는 제스처를 가지게 된다. 그렇지 않으면, 버리고 다른 것을 찾아야 한다.

이 행위에 자신을 적용하면 감각, 이미지, 충동의 풍부한 세계로 빠르게 들어갈 수 있다. 다양한 방법으로 제스처를 개발할 수 있다. 동작의 성질을 변경할 수 있고 미묘한 경험을 얻을 수 있다. 신체 체중의 배치만 변경해도 제스처가 달라진다. 이 제스처를 조금만 수정하면 원형의 또 다른 모습을 만날 수 있다. 제스처를 개발함으로써 매우 특별한 의지의 성질을 발견할 수 있다.

## 16 인물 구축: 가상의 중심

생각할 때 두뇌를 사용한다는 것은 아주 명백한 사실이다. 이 사고 부분은 신체에서 매우 특정한 위치에 있다. 그래서 머리가 생각의 중심이라고 쉽게 말할 수 있다. 머리에서 계산하고, 계획하고, 구상하고, 꿈꾸고, 고찰하고, 결정하고, 분석하고, 합리화하고, 숙고하고, 발명하고, 수용하고, 명령한다. 이 모든 것을 가지고 머리는 활동한다. 햄릿이 사고 유형이라고 말하는 것은 그가 먼저 머리로 생각하기 때문이다. 그의 삶은 머리에 집중되어 있고 거기에서부터 나머지 모든 것이 진행된다고 말할 수 있다.

감정이 많은 사람인 줄리엣은 머리가 아닌 다른 위치에서 그녀의 삶을 초기화한다. 비록 문학적인 개념이지만, 사람들은 심장이 감정의 자리라고 인정한다. 심장은 부서지고 치유되고, 희망에 부풀고 낙심하고, 따뜻해지고 차가워지고, 공포로 박동이 빨라지고 기쁨으로 편안해진다. 열린 마음은 항상 만나는 기쁨이고, 닫힌 마음은 함께하기 너무 어렵다. 가슴에 위치한 심장이 감정의 중심이라고 말할 수 있다. 줄리엣의 삶은 그곳에서 시작하여 나머지 모두가 진행된다.

몸의 낮은 곳에 위치한 의지는 욕망과 욕구의 결과물이다. 내장, 사타구니, 허벅지 윗부분은 모두 욕망에 의해 불이 붙는다. 골반이 의지의 중심이라고 말할 수 있다. 여기에서 로미오의 삶이 시작되고 거기에서부터 나머지 모두가 진행된다.

사람들의 육체적 삶을 관찰하면 이처럼 중심에 대해 알게 된다. 누군가가 걷는 것만 보아도 중심이 어디인지 쉽게 알 수 있다. 모든 것이 중심에서 나오고 중심으로 돌아오기 때문에, 중심이 바로 핵심이다. 중심은 유형별로, 효율적이고 편안한 방식으로 유기체를 결합한다.

작가가 매우 구체적인 방식으로 인물을 묘사하여 보여줬기 때문에 우리는 이미 인물의 유형을 알고 있다. 물리적 신체에 적절한 이미지를 통합하여 유형을 탐구했다. 이제 인물의 세계를 경험할 수 있으며 유형별로 통합된 특정한 인물을 향해 일관되게 나아갈 수 있다. 가상의 중심은 그곳에서 우리를 돕는 방법이다. 그것으로 우리가 움직일 신체의 정확한 위치를 정하게 된다.

가상의 중심은 원형을 위해 심리제스처를 끌어들이는 또 다른 변수이다. 중심을 이동하는 것은 신체를 움직이는 방식에 강력한 영향을 미친다. 그래서 원형으로 심리제스처를 개발하는 데 있어 중요한 구성 요소가 된다. 가상의 중심은 그 자체로도 인물을 정의하는 완전히 효과적인 도구이다. 변신을 향한 확실하고 자신감 있는 방법이다.

### 연습 16. 가상의 중심의 이동

양발을 바닥에 단단히 붙이고 서자. 마치 손을 흔들어 작별 인사를 하듯이 팔을 들어 올린다. 의식을 가지고 움직인다. 팔을 움직이고 있다는 것을 알고 처음인 것처럼 동작을 경험해본다. 이것은 배우 자신이 무엇을 하고 있는지 또는 팔을 움직이는 데 필요한 것이 무엇인지 알 수 있게 해준다. 이와 같은 익숙한 동작은 항상 의식 없이 수행된다. 그러나 움직이는 것이 무엇인지 알고 나면 매우 특별한 방식으로 움직일 수 있고 동작에서 새롭고 보람 있는 경험을 할 수 있다. 이 팔의 동작은 어깨나 팔 위쪽에서 시작되고 동작의 종료 시까지 계속된다는 것에 주목한다.

이제 팔이 머리에 직접 연결되어 있고 머리에서 팔을 움직일 수 있다고 상상해보자. 물론 팔은 머리에 직접 연결되지 않는다. 각각의 신체가 모든 부분에 연결된 하나의 놀라운 개체로, 하나의 단위로 신체를 경험한다면, 이렇게 할 수 있다. 상상이 풍부하고 에너지가 넘치는 연결이다. 그렇다고 해서 근육질은 아니다. 일단 시도하면 머리에서 팔을 움직일 수 있다는 것을 즉시 이해한다. 손을 흔들어 작별 인사를 하는 자신의 감각이 일상의 방식과는 상당히 바뀌었다는 사실에 주목한다. 다른 팔로 다시 시도하되, 물건을 만지거나 걷거나 앉거나 말하는 것과 같은 다양한 종류의 동작을 해본다. 마치 손가락, 엉덩이, 발 또는 목소리가 머리에 직접 연결된 것처럼 모든 것을 연결할 수 있다.

이제 팔이 가슴의 중앙에 직접 연결되었다고 가정하고 손을 흔들어 작별 인사를 해본다. 머리에 연결된 이전의 동작과는 상당히 다르다는 것을 알게 될 것이다. 가슴 중심에서 동작을 시작하여 의식적으로 많은 다른 행위들을 시도한다. 머리 중심에서 했던 동일한 행위를 반복하는 것은, 자아 감각 측면에서 어떠한 차이가 있는지 파악하기 위한 것이다.

정말로 차이를 느낄 수 있다면, 같은 행위를 반복한다. 이제 골반에서 동작이 시작되고, 새끼손가락에서 입술까지 신체의 모든 부분이 골반에 직접 연결된다.

중심의 이동은 존재의 연속성을 생성하고, 배우가 하는 모든 것이 중심에서 조화를 이루게 된다. 그것은 특정한 종류의 행위로 가는 길을 찾을 수 있게 해주고, 항상 심리가 신체 속에 반영되기 때문에, 같은 존재 감각으로 계속해서 되돌아갈 수 있다.

가상의 중심에 관심을 두는 것은 인물의 신체적 특성을 정의하는 아주 명확한 길이다. 머리, 가슴, 골반으로부터의 중심 이동은 시작에 불과하다. 그것은 단순히 기계적인 것으로 보이지만, 일단 자신이 이미지와 결합하게 되면 진정한 변신이 생겨난다.

### 연습 17. 이미지로 가상의 중심 정의

이제 중심 이동이 가능하므로 중심 안에서 서로 다른 이미지로 실험해보자. 가슴에 태양이 있다고 상상한다. 가슴에서 머리로, 가슴에서 몸통을 통해 다리와 발로, 그리고 어깨와 팔을 거쳐 손가락까지 발산되는 태양의 온기와 힘을 느낄 수 있다고 상상한다. 가슴 속의 태양이 배우의 중심이며 신체의 모든 부분에 닿는다. 태양 아니면 배우가 태양 대신에 두기로 선택한 이미지는 내면에 어떤 종류의 에너지 이동을 유발할 것이며, 아마도 호흡이 다르게 느껴지거나 바닥에 접촉하는 방식이 변경된 것처럼 느껴질 것이다. 변화에 주목한다.

이제 이전 연습에서 했던 것처럼 손을 흔들어 팔을 움직여보자. 그러나 가슴에 있는 태양이 팔을 움직이게 한다. 태양에 완전히 자신을 넘겨주고 태양이 팔을 움직일 수 있고, 움직일 것이라고 믿는다. 다른 간단한 동작도 시도하지만 항상 가슴의 태양이 자신을 위해 움직일 수 있도록 한다. 그러면 자신을 놀라게 할 무언가가 태양에서 나올 것이다. 이미지에 항복하여 생겨나는 자유와 즐거움이 있다. 이제 자신의 일상의 자아가 아닌 것에 대한 책임을 포기하고, 영광스러운 변신의 가능성에 문을 열어준다. 단순한 제스처가 걷기, 말하기, 앉기, 서기, 달리기 등과 같은 더 복잡한 제스처에 자리를 양보하도록 한다. 그것을 하는 것은 항상 태양이다.

이 연습은 즐거움을 얻는 한 계속할 수 있다. 이 변신 방법은 매우 쉽고 자유롭다. 이미지를 변경하고 위치를 변경할 수 있다. 가상의 중심은 자신이 원하는 위치라면 어디든지 갈 수 있다. 태양의 이미지를 얼음덩어리, 양극성으로 변경한다. 얼음을 머리에 이동시켜 놓고, 얼음이 자신을 움직이게 한 다음, 가슴에 놓았다가 다시 골반으로 이동한다. 이미지와 위치가 함께 작동하여 심리가 자유롭게 이동하도록 인도했지만, 자신은 심리에 대해서 전혀 생각하지 않았다.

머리, 가슴과 골반의 위치는 선택의 한계가 아니다. 자신이 선택한 곳이면 어디든지 가상의 중심을 이동시킬 수 있다. 사고, 감정, 의지에 대한 확실한 연결 때문에 우선 머리, 가슴, 골반에 중심을 두도록 제안하는 것이다. 몸의 바깥쪽, 머리 조금 위, 등 뒤, 가슴 앞 등과 같이 복잡한 위치에도 중심을 둘 수도 있다.

## 17  인물 구축: 가상의 신체

심리와 신체가 하나라는 관점에서 계속 살펴보면, 일반적으로 인간이 소유한 신체의 유형이 성격의 많은 부분을 결정한다는 것을 쉽게 발견한다. 인간의 신체가 만드는 형태는 항상 같지만 크기와 비율은 사람마다 다르다. 그 차이점이 성격의 특정한 부분을 형성하는 데 도움이 된다.

조지 버나드 쇼의 희곡을 읽을 때는 자세한 인물묘사 때문에 등장인물에 대한 아주 생생한 그림을 얻지만, 셰익스피어의 작품을 읽을 때는 거의 얻지 못하므로, 보이는 대로 인물을 창조한다. 체홉은 대본을 읽고 먼저 인물이 어떻게 생겼는지, 인물을 어떻게 연기할지 상상해보라고 제안한다. 상상으로 대본을 읽을 때 행위를 하는 인물을 볼 수 있다. 연극 속의 인물을 자신과 분리된 인물로 상상할 때 어떤 일이 일어난다. 그 간단한 일을 함으로써 삶의 한계를 뛰어넘는 환상이 준비된다.

배우는 인물에 대해 묘사된 것을 상상할 수 있지만, 그 인물이 갖고 있지 않은 것도 상상할 수 있다. 배우가 항상 배우 자신이라면 의식적으로 자신의 신체를 느끼지는 못한다. 배우는 자신이 가진 외형 때문에 자신이 누구인지 아는 것 같다. 그래서 아프거나 또는 다른 방식으로 자신의 신체를 경험할 때, 실제 '자신으로 느끼지' 못한다. 왠지 다른 사람처럼 느껴지고, 건강해질 때까지 계속해서 다른 사람처럼 여겨지고, 그래서 다시 한번 자신의 신체를 인식하게 된다. 신체에 대해 무언가를 바꾸면 즉시 다른 자아 감각을 갖게 된다. 이 자아 감각이 체홉의 테크닉에서 심리라는 단어를 사용하는 의미이다. 신체가 바뀌면 심리도 바뀐다.

신체를 바꾸는 것이 불가능한 과정처럼 들리지만, 간단하고 쉽고 즐겁다. 우리는 항상 같은 원칙과 같은 행위로 작업하고 있다. 단지 그것들을 위한 새로운 설정을 찾으면 된다. 상상, 에너지, 형태의 원칙이 가상의 신체를 창조하는 데 사용된다.

이미지를 만드는 방법은 많지만, 가상의 신체를 만드는 방법은 하나뿐이다. 이것은 원형의 의지력이 들어갈 단지를 만드는 더 나은 수단이다. 이 단지는 원형의 힘을 구체적인 인물로 다듬는 데 도움을 준다. 그것은 심리제스처의 동작이 어떻게 일어날지에 대해 엄청난 영향을 줌으로써 도움을 준다.

선택한 이미지는 인물과 연극에 도움이 되어야 한다. 가상의 신체로 상상하면, 예를 들어 리처드 3세의 신체의 일부인 곱사등을 육체적으로 경험할 수 있다. 배우는 등에 혹이 있는 남자의 심리를 이해하기 때문에 어떤 의미에서는 리처드 3세의 무대 의상을 입을 권리를 획득하는 것이다.

그것은 리처드 3세를 연기하는 배우가 앤 부인을 어떻게 유혹할 것인지에 실제적인 영향을 미치게 된다.

### 연습 18. 신체의 변화: 가상의 신체

서 있는 자세에서 허리를 구부리고 발가락을 만져보자. 그렇게 몇 초 동안 기다린다. 계속 호흡하고 근육을 이완한다. 발가락을 만지는 것은 중요하지 않다. 발가락에 닿지 않아도 상관없다. 신체를 구부린 상태에서 긴장을 풀고 호흡한다. 신체를 펴 천천히 서 있는 자세로 복귀한다. 일어나면서, 배우 자신의 키가 3미터가 될 것이라고 자신에게 말한다. 이제 키가 엄청나게 크고 완벽하게 균형 잡힌 몸매를 가진 사람이 된다. 공간을 걷는다. 의자에 앉는다. 의자에서 일어난다. 키가 3미터인 자신을 계속 경험하면서 다양한 동작을 한다. 물리적 신체를 3미터로 늘릴 수는 없지만, 생명체의 에너지를 3미터로 바꿀 수는 있다.

잠시 후 다시 신체를 구부리고 이완한다. 천천히 신체를 펴고, 서 있을 때 자신의 키가 1미터가 될 것이라고 자신에게 말한다. 앞에서와 같은 다양한 동작을 하고, 몇 분 전과 비교하여 자아 감각이 어떻게 다른지, 일상의 자아 감각과는 어떻게 다른지 확인한다.

신체의 모든 부분을 특정한 크기나 모양으로 변경할 수 있다. 그것은 항상 생명체의 형성이다. 이것을 염두에 두고, 자신의 목을 황소의 목으로 바꿔보자. 이제 새로운 목으로 머리를 움직인다. 한 부분만 바꿔도 이미 새로운 심리를 경험한다. 목을 다시 아기의 목으로 바꾼다. 다양한 이미지를 가지고 연습한다. 자신과 전혀 닮지 않은 신체를 가진 사람을 만나본다. 자신의 신체가 그 신체라고 상상한다.

신체 전체를 바꾸거나 신체 일부분에 집중할 수 있다. 예를 들어, 손에 집중하고 손을 바꾼다. 손은 바꾸는 즉시 손으로 사용해야 하므로, 새

손을 가졌다는 느낌을 받을 수 있다. 손이 고급 수정 유리로 만들어졌다고 상상해보자. 유리 손이지만 움직이며 손으로 사용해야 한다. 새로운 손으로 주머니를 뒤져보거나 셔츠 단추를 잠가본다.

자신이 연기할 인물의 손, 목, 입술을 직접 볼 수 있다면 완전히 새로운 심리를 찾는 데 성공한 것이다. 왜냐하면 일을 하기 위해 손을 사용해야 하고, 머리를 움직이기 위해 목을 사용해야 하고, 말을 하기 위해 입술을 사용해야 하기 때문이다. 진정으로 새로운 사람이 나타난 것이다. 그것은 여전히 자신이지만, 창조적인 상태에 있는 것이다. 자신이 연기하는 인물에 맞는 행위를 할 수 있고, 인물로서 자신에 대한 상황을 믿을 수 있다. 배우는 이 창조적 상태 안에서 완전히 자유롭고, 그래서 새롭고 다른 형태를 가지는 것은 매우 재미있는 연기 작업이다.

## 18  인물 구축: 사적 분위기

오랜 친구에 대해 생각하고 그 사람을 몇 마디로 설명하려고 한다면, 그 사람에 대한 기억과 묘사가 사적 분위기일 가능성이 크다. 분위기는 주위 공간을 말한다. 사적 분위기의 경우 인간을 둘러싼 공간을 의미한다. 그것은 여러 가지 방법으로 설명할 수 있다. 사람을 묘사하는 특정한 방법은 그 사람이 세상을 어떻게 대하는지 정확히 알 수 있게 한다. 똑같은 상황에 대해 항상 잔이 반만 채워져 있다고 하는 사람과 또는 항상 잔이 반쯤 비어 있다고 하는 사람에게서 사적 분위기는 다르게 묘사될 수 있다. 사람을 둘러싸고 있는 일종의 거품으로 상상할 수 있다. 거품 안에 좋아하는 것을 넣을 수 있다. 예를 들어 거품을 웃음으로 채운다면, 사람을 둘러싸고 있는 이 거품 안의 공간이 웃게 된다.

물론 이것이 그 사람을 항상 웃게 하는 것은 아니지만, 그렇지 않은 때보다 재미있는 것을 발견할 가능성이 더 크다. 또 다른 사람에게는 그 거품의 공간이 눈물로 가득 찰 수 있다. 이처럼 이미지에 몰두한 배우는 일부러 우는 방법을 찾지 않아도 된다. 인물에 대한 창조적이고 상상력 있는 접근방식, 즉 날카로운 슬픔에 대한 접근방식을 사용할 수 있기 때문이다. 웃음이나 눈물로 가득 찬 이 거품은 인물과 세상 사이의 여과 장치처럼 작용한다. 인물이 외부로부터 받는 것은 필터를 통해 들어오고, 인물이 세상에 주는 것은 필터를 통해 나간다. 이것은 일관성을 향한 또 다른 수단이다. 인물에 대한 많은 것을 결합한다. 4번째 지도원칙을 활성화하기 위한 훌륭한 도구이다.

### 연습 19. 사적 분위기와 4가지 맛

우리는 종종 사람을 쓰다, 달다, 시다와 같이 묘사한다. 사람들이 이런 방식으로 맛을 본다고 말하는 것이 아니라, 사람들에 대해 매우 구체적이고 분명한 특징을 말하는 것이다. 그것은 서로 다른 사람들을 인식하는 방법으로, 모두가 공감하는 일치된 견해이다. 흥미로운 점은 사람들이 습관적으로 이렇게 한다는 것이다. 이것은 바로 분위기, 거품, 필터 때문이다.

배우 자신의 바로 앞에 있는 공간이 단맛으로 가득 차 있다고 상상해 보자. 이 상상을 수용할 수 있을 때, 그 공간으로 한 걸음 들어가 얼굴과 가슴 위의 단맛을 느껴본다. 그냥 받아들이는 것 이외에 더는 아무것도 할 필요가 없다. 오른쪽으로 돌아서 자신에게 단맛이 온다고 상상한다. 오른 팔과 손을 들어 거품 속에 단맛을 맞이한다. 단맛을 맞이하는 제스처는 무엇인가? 단맛은 그 자신의 고유한 성질을 가지고 있다. 오른손, 오른팔, 어깨에서 단맛을 느낀다. 이제 왼쪽을 보고 단맛을 거품 속에 맞이한다. 단맛을 맞이하는 제스처의 성질은 무엇인가? 보지 않고, 단맛이 머리 위에 자리 잡고 있다는 것을 알 수 있다. 단맛이 진동하며 기다리고 있다가, 달콤한 '설탕 비'처럼 머리와 어깨에 떨어진다.

머리와 어깨에 단맛이 내려앉는 것을 느낀다. 그런 다음에 단맛은 뒤로 들어와 목 뒤, 엉덩이, 종아리에 닿는다. 이제 단맛에 자신이 완전히 둘러싸여 있다. 세상은 단맛으로 자신에게 다가올 것이고, 자신은 단맛으로 세상에 대해 행동할 것이다. 이 사적 분위기가 자신을 가볍게 하도록 허용한다. 어떤 것을 강요하거나, 심지어 달콤하게 행동할 의무도 느껴서는 안 된다. 단맛이 자신과 세상 사이의 필터가 되게 한다. 잠시 후, 사적 분위기와 연결되었다고 느낄 때, 혀끝에 주의를 기울인다.

단것을 맛보려고 노력할 필요가 없다. 이것은 핵심이 아니다. 혀의 앞 끝은 단맛을 감지하는 혀의 일부이다. 이것은 모두에게 해당한다. 주위의 단맛의 사적 분위기를 상상하는 것은 단맛을 유인하는 것이고, 그러고 나서 혀끝에 주의를 기울이는 것은, 말하자면, 단맛을 낚아채서 거는 것이다. 4가지 맛을 사용하는 것은 자신 안에 있는 배우를 참여시키는, 자신의 한계를 넘어서는 방법이다. 그것은 자신을 벗어나 인물로 인도한다. 모두가 이해하는 지식이다. 쓴맛, 신맛, 짠맛 등으로 위 연습을 똑같이 반복할 수 있다. 혀로 하는 이 연습의 마지막 부분이 사적 분위기의 유일한 변수이다.

쓴맛은 혀의 뒤쪽에서, 신맛은 혀의 측면에서, 짠맛은 혀의 가운데에서 경험한다. 일단 맛이 '걸리게' 되면 유지하기 매우 쉬운 변화이다. 맛은 자신을 스스로 관리하며, 인물이 하는 모든 것을 색칠할 수 있는 힘이 있다. 인물이 단맛에 둘러싸여 있다고 해서, 인물이 단맛과 어울리지 않는 것처럼 보이는 어떤 정서나 감정을 경험하거나 표현하는 것을 방해하지 않는다는 점에 유의해야 한다. 달콤한 사적 분위기를 가진 사람도 침울해하거나 화를 내거나 슬퍼할 수 있지만, 여전히 자신을 둘러싼 달콤한 필터를 가지고 있다. 쓴맛, 신맛, 짠맛도 마찬가지이다. 쓴맛을 가진 사람이 어떻게 웃을지 상상할 수 있다. 사적 분위기는 사물을 바라보는 제한된 방법이 아니다. 복합적으로 사용하면 상상력이 풍부해지고 연기에 힘을 실어주는 도구이다.

## 19  분위기: 공간 활용

연습실에서 우리는 공간과 함께 작업한다. 보통 공간을 다양한 생각이나 이미지를 담을 수 있는 매개체라고 믿는 것에서 시작한다. 그런 다음 이미지를 공간에 넣고 다시 자신에게 돌아올 수 있게 한다. 우리는 항상 신체가 인상, 충동, 감각, 의도를 받는 것에 민감해지도록 유지한다. 이미지가 돌아올 때 그것을 받는 것은 신체이다. 특정한 것, 예를 들어 먼지에 대한 상상으로 가득 찬 주위 공간이 신체에 닿을 것이다. 신체는 이것을 받아 반응한다. 관객들에게 먼지를 보이며 '배우들이 기침을 해서 먼지가 가득한 방에 있는 것 같다'라고 말하는 것이 아니다. 정말 아니다. 우리는 내면의 아주 미묘한 심리의 연결을 위해 노력하고 있다.

이 공간은 심리에 어떻게 영향을 미치는가? 우리는 온갖 물질, 향기, 성질, 더위와 추위 등으로 연습했다. 그리고 나서 체홉의 분위기에 관한 생각에 따라 감정, 분위기, 색깔로 공간을 채우기 시작했다. 경험하고 지켜보는 것 모두 흥미로웠다. 발견을 즐겼지만 곧 어려움에 부딪혔다. 분위기는 배우들에게 매혹적이었지만, 웬일인지 단지 감정만을 연기하거나 분위기를 연기하게 만들었고, 배우의 연기에서 매력이 모두 사라졌다. 즉흥 연기와 대본의 내용이 일반적이고 불명확해졌다.

분위기를 앞세우다 보면 실제 의도와 행위 모두가 2차적인 것으로 되기 때문에 배우들이 분위기만으로 계속 연기하는 것은 치명적 실수다. 체홉도 이것에 대해 경고한다. 분위기에 대한 반응은 우리가 반드시 관심을 가져야 하는 문제이다.

신체를 민감하게 하기 위한 다양한 훈련의 결과로써 우리가 발견한 것은, 배우에게 분위기는 특정한 방향으로 신체를 움직이는 공간으로 인식될 수 있다는 것이다. 예를 들어, 재난의 분위기는 신체를 아래로 움직이게 하고 분위기 자체가 어깨와 머리에 무겁게 떨어지는 것처럼 보인다. 이러한 인식은 분위기로 작업하기 위한 믿을 수 있는 접근방식을 찾는 진정한 열쇠가 된다. 앞의 장면으로 돌아가서, 감정이나 분위기의 이름을 지우고, 공간이 아래로 움직일 수 있다는 상상으로 대체할 수 있다. 이것으로 인해 자유로워지고 작업하기 더 쉬워진다.

배우들은 이제 더는 재난의 분위기를 연기하도록 유혹당하지 않아도 되고, 단순히 아래로 내려가는 공간에 반응하면 된다. 이것은 생각보다 쉽다. 설정이 완료되면 자동으로 처리된다. 동작은 정말 자신의 통제를 벗어난 것처럼 보이므로, 자신의 외부에 있는 것에 대해 순수한 반응만 하면 된다. 재난을 만들어낼 책임이 사라지고, 배우는 자유롭게 서로 접촉하고, 자신에게 필요한 행위와 목적을 자유롭게 연기할 수 있으며, 이 모든 것은 역동적이고 에너지 가득한 공간에 둘러싸여 이루어진다. 공간의 동작은 배우의 현실이 되고, 이 개념에 빠져드는 모든 상상으로 인해 막연하고 애매모호한 재난이 되지 않는다. 사고가 동작의 효과를 방해한다는 것에 주의하면 된다. 동작과 관련된 모든 것은 항상 배우에게 힘으로 전달된다.

### 연습 20. 분위기에 의한 연기

확실히 몰입하여 앞으로 걷는다. 배우 자신도 앞으로 움직이고 있음을 안다. 움직이면서, 앞으로 움직이고 있다고 자신에게 말한다. 이 언급은 방향을 완전히 의식하는 데 도움이 된다. 움직일 때 주위 공간도 움직인다고 상상하자. 공간이 자신과 함께 움직이고 있다. 잠시 후 걷기를 멈추고 공간이 계속 움직이고 있다고 상상하면, 뒤에서 앞으로 나오는 자신에 의해 공간이 움직인다. 이것에 집중하고, 신체를 구멍이 많은 다공성(多孔性)의 개체가 되게 한다. 이제 신체를 통과해 움직이는 공간을 느껴보자. 상상이지만 쉽게 할 수 있다. 자신을 통과해 움직이는 힘에 스스로 반응하도록 한다. 간단한 동작을 하며, 자신을 통과하는 공간이 자신을 연주하게 한다. 마치 신체가 바람으로 소리 나는 관악기와 같게 한다.

공간이 어느 방향으로 자신을 통과해 움직일 때 연주되는 특정한 음색이 있다. 자신이 상상을 할 수 있게 되면, 이 상상을 계속 살아있게 하는 데 거의 노력이 들지 않는다. 곧 그 상상은 저절로 일어나는 것처럼 보일 것이며, 필요할 때 그것을 멈추는 것이 배우의 유일한 노력이 될 것이다. 이제 자신이 그 상상에 반응할 수 있는 위치에 있다. 상상은 자신이 하는 것과 하는 방식에 영향을 미칠 것이다. 상상은 주변에서 일어나는 것을 느끼는 방법이고, 장면의 사건을 둘러싼 무형의 효과를 만드는 방법이다. 자신의 초점은 반응을 유지하는 것이다. 그러면 아무것도 연주하지 않고 자신에게 영향을 미치는 공간에서 살아 있기만 하면 된다. 공간은 자신이 해야 할 것을 방해하지 않고, 할 수 있게 해준다. 특히 공간에서는 앞 방향에 의해 역동성이 만들어진다는 것을 기억하자.

뒤로 움직여도 똑같은 것을 할 수 있다. 열린 공간에서 뒤로 걸어가면서 뒤로 움직이고 있다고 자신에게 말한다. 매우 의식적인 행위를 만든다. 주변 공간이 뒤로 이동한다고 상상하자. 뒤로 움직이고 있다는 것이 분명해지면 잠시 후에 멈춘다. 공간이 계속 뒤로 움직인다고 상상한다. 공간은 앞에서 뒤로 움직이고 있는데, 어떤 방향으로 돌든지 간에, 공간은 항상 자신과의 관계를 유지할 것이다. 상상의 일관성을 유지해야 한다.

공간이 신체를 통과할 수 있도록 신체가 다공성의 개체가 되게 한다. 공간은 앞에서 신체로 들어가 뒤로 나온다. 이것은 공간이 뒤에서 신체로 들어가 앞으로 나오는 이전 경험과 전혀 다르다는 것을 즉시 알 수 있다.

자신의 신체가 관악기라는 생각을 받아들인다. 공간이 뒤로 움직일 때 연주되는 음색이 있다. 이것이 무엇인지 느끼고 반응한다. 이미지와 충동이 떠오르면 따른다. 아마도 자신이 어떠한 상황에 있는 것처럼 느낄 것이다. 모든 것을 가지고 연주하고, 자신에게 오는 모든 것을 환영한다.

역동적 방향은 앞뒤, 위아래, 확장 및 수축이다. 핵심은 이러한 방향 중 하나로 움직이는 것이 무엇을 의미하는지 인식하는 것이다. 행위는 공간을 움직이는 것이다. 초점은 신체를 통해 움직이는 공간에 반응하는 것이다.

일단 연습을 성공적으로 마치게 되면, 특정 중심에서 동작 위치를 찾는 작업을 시작할 수 있다. 예를 들어 공간이 뒤로 이동하는 동안 머리만 통과하도록 한다. 이것은 매우 구체적이며 그 자체로 역동적이다. 가슴이나 골반을 통해 공간을 통과시킬 수도 있다. 이러한 변화는 6가지 방향 중 어느 하나에서도 가능하다.


## 20  지속적 연기

연기는 우리가 배우이기 때문에 일어난다. 이것이 연기할 충분한 이유이다. 체홉은 배우가 공연에서 연기하는 날만 배우이고 그 일이 끝나면 다른 프로젝트를 찾을 때까지 배우가 아니라고 믿는 것은 실수라고 말했다. 이것은 시간과 에너지를 비생산적으로 사용하는 것이다. 자신의 능력과 가능성을 죽이는 것이다. 창조적 개성과 재능에 대한 자신의 연결을 약화하는 것이다. 연극은 더 많은 삶이 필요하고, 배우는 더 많은 삶의 감각을 키울 수 있게 지속해서 연습하는 것이 중요하다. 외적 원인이나 이유 없이, 정당화 없이 연기할 수 있는 능력을 개발해야 한다. 배우의 능력은 테크닉에 의해 육성되는 것이다. 테크닉으로부터 즐거움을 받기 때문에 우리는 항상 연기할 수 있다.

　우리가 이 연습을 끝까지 해낸다면, 다가올 배역을 이해하는 새로운 인상, 새로운 접근, 새로운 발견, 새로운 방법을 얻게 될 것이다. 지속적인 연기 능력은 창조력을 발휘하는 데 필요한 자신감을 가질 수 있게 준비시켜준다. 가능할 때만 테크닉을 가지고 연기하는 것은 정말로 문제이다. 행위는 본질적으로 자신을 줄 수 있는 능력이다. 줄 수 있는 능력을 개발하지 않으면, 연기하는 데 필요한 관대함을 알 수 없다.

　지속해서 연기한다는 것은 배우로서 연습하는 방법을 찾는 것을 의미한다. 걷기, 앉기, 기다리기 이외에는 아무것도 하지 않을 때, 테크닉의 일부를 가져와서 연습하고 연기한다. 연기 작업에 몰두한다면, 항상 자신을 흥분시키고 연기로 의식을 자극할 수 있으므로, 결코 지루하다고 주장할 수 없다.

　편안함의 느낌을 사용해 걷는 것조차 연기 능력을 연습하는 것이다. 이렇게 하면 일상적이고 둔한 의식에서 벗어나 보통 자신 안에 잠들어있는 풍부한 의식에 연결된다. 이렇게 연습함으로써 이제 창조적 의식의 상태에서 다른 것을 할 수 있다. 가상의 중심이나 가상의 신체를 연습하면서 심부름을 할 수도 있다. 우리가 보는 것에 집중하고 우리 세계에 있는 대상의 '인물'을 느낌으로써 우리 주위 세계를 이해할 수 있다. 체홉의 테크닉은 창조적 풍요를 위한 훌륭한 도구이다. 올바르게 사용하면 일상의 자아 감각에서 벗어나게 된다. 우리는 항상 자신을 지원할 창조력과 접촉한다. 체홉의 테크닉에 의해 모든 것이, 특히 배우가 연기할 배역의 재료를 바라보는 방식이 변화할 것이다.

# 5장

---

# 테크닉의 적용

체홉의 테크닉을 배우는 것은 연기에 관한 자신의 연구, 경험, 실패와 성공을 배우는 것이다. 연습은 우리를 혼란스럽게 할 수 있다. 에쮸드가 서로 다른 것에 관한 것일 때 어느 한 가지에만 집중하면 길을 잃기 쉽다. 체홉의 테크닉을 통한 연기는 많은 가능성을 불러일으키므로 학생 배우들은 어디에 집중해야 하는지 배울 필요가 있다. 연기 교육자는 학생들의 연구를 올바른 방향으로 이끌어야 한다. 학생들이 무엇을 찾아야 할지 안다면 테크닉을 이해하기 더 쉬워진다. 일단 기본이 내면에 뿌리를 내리면, 그다음에 학생들은 원하는 테크닉을 선택하여 연기할 수 있다.

5장에서는 배우, 연기 교육자 및 감독들을 위해 실용적인 측면에서 테크닉을 사용하는 방법을 제시한다. 모든 테크닉의 요소들을 하나의 역동적인 모델로 통합하고 있다. 배우들과 직접 생생하게 작업하며 설명과 방향을 제시하고 있다는 점에서 앞부분과는 서술 방식이 다르다. 가끔 엉뚱한 상황, 색다른 질문과 답변이 나오기도 한다. 그러다 보니 앞부분과 다르게 읽혀, 마치 상황이 자동차 기어를 바꾸는 것 같아서 독자들에게 경고하기 위해 이렇게 간단한 안내를 제공한다. 내가 주로 말을 하지만 워크숍 과정에서의 배우들의 질문과 의견도 있다. 강의나 워크숍 또는 리허설에서의 수많은 발언과 대화를 내 의견과 학생 배우의 의견 2가지로 크게 구분했다.

## 01 준비

신체가 이완되도록 원 모양으로 서서 공놀이를 하자. 여기 공이 있다. 만지면 매우 뜨겁다고 상상하자. 단순히 오른쪽 배우에게 공을 던지기만 하면 된다. 배우가 쉽게 공을 잡을 수 있도록 가슴을 겨냥하여 던진다. 원형으로 서서 공을 잡고 던져야 한다. 주는 행위를 명확히 해야 한다. 연기는 주고받는 것이다. 이 게임은 연기에 대한 은유이다. 반드시 공을 손에 쥐고 오른쪽 배우에게 정확히 던져준다. 이제는 두 번째 공을 추가할 것인데 원형으로 서서 계속 서로에게 공을 전달한다. 이 공 또한 뜨겁지만 잡아서 던져야 한다. 이제 세 번째 공이 들어오는데 그것은 반대 방향으로 진행한다. 공이 바닥에 떨어지지 않도록 한다. 정신을 차려야 한다. 세 개의 공이 모두 빠르게 움직인다.

잠시 멈춘다. 모두 정신없이 허둥대고 있다. 숨을 헐떡이며 긴장하고 있다. 이제 바닥에 접촉하고 서서, 바닥에 닿아있는 발을 느낀다. 그러면 어떤 당황스러운 세계가 아니라 바로 현재 여기에 존재하게 된다. 연기에는 존재감이 필요하고 이 게임도 존재감이 필요하다. 배우 자신이 정말로 여기에 있어야 하며, 그렇지 않으면 게임이 무너진다. 연기를 위해 이 게임으로 몸을 깨워야 한다.

아주 잘했다! 이제 공을 가지고 있는 사람은 누구든지 공을 잡고 자신의 손에 열을 받는다. 열을 받고 그 열에 스스로 반응한다. 자신의 근육을 부드럽게 하여 스스로 열을 받을 수 있게 하되, 긴장해서는 안 된다. 분명히 말하지만, 그 열은 정말로 뜨겁지 않은 상상의 열이고 그 상상의 열을 받는다. 이제 게임을 다시 시작한다.

무작위로 시작하고 멈출 것이다. 내가 지시하면 공을 가진 사람은 누구든지 자신의 손에 열을 받고, 잠시 자신의 몸으로 이 불편함을 표현한다. 내가 'go'라고 말하면 던지기를 계속한다. 신체를 편하게 사용하고, 자신을 가볍게 표현해야 한다. 신체는 배우가 가진 전부이다. 신체는 배우를 깨우는 도구이다.


## 02  확장/수축

자신의 물리적 신체를 가능한 한 아주 커지게 하고 다음에 가능한 한 아주 작아지게 해보자. 쪼그리고 앉아 몸을 웅크린 작은 공에서 동작을 시작한 다음 몸 전체를 이용해 크게 성장해 나간다.

지금 움직이고 있는 신체의 소리에 귀 기울인다. 자신이 확장의 동작을 하고 있기 때문에 자신에게 다가오는 정보를 듣는다. 제스처를 실행할 때 계속 호흡한다. 자신이 확장하고 있다고 자신에게 말한다. 자신이 성장하고 있다고 느끼도록 노력한다. 신체가 자신에게 말하게 한다. 이제 반대로 움직여, 수축하고 확장을 시작한 곳으로 돌아간다.

여기서 최대한 커지거나 작아지는 것은 최종 위치가 아니라 그 여정에 관한 것이다. 진정한 역동성은 확장 또는 수축에 있다. 그것은 제스처이고 제스처는 동작을 의미한다.

자신이 위, 아래, 앞, 뒤를 가진 3차원적 존재라는 사실을 인식하도록 노력하자. 보통 우리는 자신의 뒤쪽이 있다는 것을 의식하지 못하는 경향이 있다. 그래서 앞쪽은 더 커지고 더 열리게 되고, 뒤쪽은 수축하고 긴장한다. 머리를 뒤로 젖히기 때문에 목도 수축하고 긴장한다. 만일 커지는 것이라면, 가능한 한 최대로 크게 했다면, 그것은 자신이 제스처를 끝냈다는 것이고, 또한 그것은 신체의 다른 부분이 작아지지 않고는 더는 육체적으로 크게 할 수 없다는 것을 의미한다.

긴장에 유의하며 호흡한다. 역동적인 긴장감은 있지만 육체적인 긴장감은 없어야 한다. 편안함의 느낌으로 연습한다.

자신에게 무슨 일이 일어났는가? 자신이 어떻게 느꼈는지 말한다고 해도, 아무런 잘못은 없다. 각자에게 다른 일이 일어났다는 것을 알 수 있기 때문이다.

> 배우1: 수축을 통해 작아지는 것이 마치 동면처럼 느껴졌어요.
> 배우2: 사랑은 확장이고 수축은 슬픔이네요.
> 배우3: 확장할 때는 재미있게 느꼈는데, 나중에 수축하면서 겁이 났어요.
> 배우4: 확장하며 공간을 너무 많이 차지한 것에 대해 사과할 필요가 없었어요.
> 배우5: 확장을 통해 열린 상태에서 가슴이 노출되었을 때 위험하다고 느꼈어요. 오히려 수축하는 동안 더 안전하다고 느꼈어요.

각자가 얻는 다른 정보는 제스처의 차이 또는 제스처를 실행한 성질에서 비롯된다.

배우들이 너무 많은 생각을 하고 있다. 몸으로 확인해야 한다. 풍선을 부풀리는 공기처럼 팽창하고 수축한다. 일관된 흐름, 구형 성장으로 만든다. 확장 제스처의 끝에 도달한 다음 생명체를 거기에 두고, 물리적으로 멀리 떨어진다.

우리는 앞에서 어깨뼈의 새로운 눈을 개발시켰다. 기억하는가? 어깨뼈에 눈이 있고 그 눈으로 '볼' 수 있다고 상상한다. 이 새로운 눈을 사용해 공간에 남겨둔 생명체와 계속 연결한다. 어깨뼈에 새로운 눈을 올려놓은 채로 나가면서 남겨둔 에너지 넘치는 제스처를 살펴본다. 어깨뼈의 새로운 눈으로, 생명체에서 빠져나올 때 뒤에 남겨둔 에너지의 제스처를 본다.

이 과정을 3번 반복한다. 생명체와의 연결을 계속 유지하고 간다.

체홉은 '반복은 성장하게 하는 힘이다'라고 말했다. 반복할 때마다 얻는 것이 늘어날 것이다.

방 안을 돌아다니면서, 지금 자신 안에 있는 확장된 에너지로 다른 일들을 해보자. 오늘 여기서 자신에게 일어나는 아주 작은 것에도 좋다고 대답한다.

긍정으로부터 더 많은 것이 나온다. 그것이 무엇인지, 그리고 얼마나 단순하거나 강력한지 알아차렸을 때 더 많은 것이 나온다. 존재와 움직임의 연관성을 알게 될 때 더 많은 것이 나온다. 이것이 우리가 제일 먼저 살펴볼 심리제스처이다. 심리제스처는 움직임이기 때문에 역동적이고 그래서 배우에게 유용한 테크닉이다.

예술적 구조를 기억하는가? 그것은 심리제스처의 동작을 연구하는 매우 특별한 방법이다. 예술적 구조는 동작이 3개의 부분을 가지고 있다는 것을 의미한다. 예술적 구조는 학습 보조 수단이어서, 공연이 아니라 수업에서 사용한다. 그것은 우리에게 움직임에 대한 새로운 인식을 심어준다. 왜냐하면 그것은 다음과 같이 의식적으로 완벽하게 움직이도록 요구하기 때문이다.


1. 생명체로 동작을 시작한다.
2. 그런 다음 물리적 신체가 더는 물리적으로 할 수 없을 때까지, 즉

우리가 제스처의 끝에 도달할 때까지 동작을 수행한다.

3. 생명체를 사용해 제스처를 공간 속에 유지한다. 이것을 동작의 발산이라고 한다.

생명체가 확장 제스처를 발산하고 있으므로, 지금은 움직이는 무언가를 남겨두고 생명체에게서 벗어날 때이다. 얼어붙은 조형물이나 조각상을 남기는 것이 아니라 역동적인 제스처를 남기고, 어깨뼈의 새로운 눈으로 제스처를 돌아본다. 제스처를 유지한다. 그러면 무엇인가를 얻을 수 있다. 확장 에너지를 축적한다. 빈손으로 남지 않는다. 가져간다. 자신의 것으로 만든다.

예술적 구조를 사용해, 동작을 만드는 방법을 알 수 있게 생명체를 훈련할 수 있다. 그러면 나중에는 이 동작을 내적 동작으로 경험할 수 있다. 물리적인 신체 없이도 동작을 만들 수 있다. 자신이 떠나면 생명체가 '나는 존재한다'라고 말한다. 지금, 이 순간의 진실을 말한다. 정말로 예술적 구조를 활용한다. 준비, 행위, 유지의 세 부분에 유의한다.

이제 생명체로만 확장 제스처가 가능한지 알아보자. 확장이 일어나게 하고 그것으로 인해 무엇이 나타나는지 확인한다.

어떻게 느끼는가?

배우1: 흥분됩니다.
배우2: 활기찹니다.
배우3: 행복해요.
배우4: 관대해져요.

이제 제스처를 내적 제스처로 만들 수 있게 되었으니, 물리적 신체로 다른 것을 해보자.

내적 제스처를 취하면서 외적 행위를 한다. 외적 행위로 어떤 사람과 악수를 하며 동시에 내적 행위로 확장한다.

여기서 무엇을 발견하는가? 집중을 잘하면, 이 모든 것들을 하기 쉽다. 말하는 것보다 하는 것이 훨씬 더 쉬워진다. 내적 제스처를 경험하기 전에는 그것에 대해 정말로 말할 수가 없다. 제스처는 모두 경험에 관한 것이다. 제스처가 일어난 후에야 우리는 그것에 대해 이야기할 수 있다.

이것이 내적 사건, 즉 심리제스처이다. 이 내적 사건이 외적 표현, 즉 악수하는 것으로 변환된다. 악수를 하는 것은 매우 구체적이어서, 상대 배우에게 무언가를 주고 관객에게도 무언가를 말해준다. 어떤 것이 정신에 일어나면 악수하는 방식에 반영된다. 리허설에서 적용해보자. 신체가 모든 것을 기억하므로, 공연에서는 연습할 필요가 없다.

형태로서의 에너지는 공간에 배치될 수 있다. 이것은 심리제스처를 사용하는 한 가지 방법이다. 무대 위의 아주 특별한 공간도 제스처로 가득 채워져 울려 퍼질 것이다. 에너지는 자신이 제스처를 했기 때문에 자신의 신체를 통해 알려진 것이다.

에너지가 공간에 힘차게 배치되어 있다는 것을 안다면, 그 힘을 받을 수 있다. 에너지를 장면의 필요한 곳에 정확하게 놓아둘 수 있다. 에너지가 거기에서 진동한다. 상상에 의해 그것은 계속 움직이고 그래서 그 힘으로 가득 차게 된다. 에너지는 연습할 수 있고 필요할 때 다시 경험할 수 있다.

배우: 제스처를 계속 유지하면 어떻게 되나요? 내 뒤에 있는 제스처가 계속 자랐고 점점 더 커졌어요. 저는 너무 많은 짐을 들고 다니는 것을 좋아하지 않아요.

제스처가 자신을 따라다니게 해도 좋다. 그것이 우리가 원하는 것이지만, 짐이 된다면 그냥 놓아주고 잊어버려도 된다. 그것이 제스처와 배우의 동맹이라는 것을 알게 될 것이다.

이제 양극성에 대해 알아보자. 여러분은 앞에서 공, 풍선, 어깨뼈를 이용한 세 개의 확장된 제스처를 공간에 남겼고, 어디에 두었는지 알고 있다. 세 개를 다 모으자. 물리적으로 확장된 각각의 제스처로 들어가 그것들을 변형시킨다. 각각 하나씩 수축시킨다. 이 수축한 제스처를 완전히 알 수 있도록 예술적 구조를 사용한다.

이 수축 제스처를 공간에 남겨두고 새로운 눈으로 뒤돌아본다. 자신의 변화에 대해 '예'라고 긍정한다.

— 자신에게 일어난 것을 받아들인다.
— 제스처를 실행한다.
— 제스처 안에서 산다.
— 제스처를 표현한다.

이제 생명체를 통해서만 수축 제스처를 만든다.

악수를 하며 내적으로 제스처를 한다. 정말로 상황에 마주쳐 제스처를 만든다. 2가지를 동시에 할 수 있다. 이것이 체홉의 연기 테크닉이다. 연극에서처럼 어떤 행위를 외적으로 하는 것과 동시에, 이미지나 제스처 때문에 내적으로 살아있는 것이다.

좋다. 첫 번째 공을 이용한 확장 제스처로 돌아간다. 그 제스처를 내적으로 만들고 자신에게 오는 충동을 따른다. 몇 분 전에 느꼈던 기억이 아닌 바로 지금에 살아야 한다.

이제 제스처는 어떤가? 제스처는 있는 그대로 두고, 그냥 제스처 안에 들어가 자유를 즐긴다. 내면의 제스처로 이 확장과 수축의 2가지 제스처 사이를 왔다 갔다 한다.

제스처를 실행한다. 자신 안에서 일어나는 충동에 따른다. 충동을 미리 짐작하지 않는다. 그냥 자신 안에서 일어나고 있는 것에 따른다. 자신의 신체에만 귀 기울이고, 이성적인 사고를 하지 않으려고 노력한다. 그것은 주의를 산만하게 하고 자신을 의심으로 가득 차게 할 뿐이다.

배우: 손을 흔드는 사람에게 반응하고 있었어요. 그가 확장하고 있으면 제가 수축하기 매우 어렵다는 것을 알았어요.

자신이 친절하고 공감하는 사람이어서 자연스럽게 주어진 신호에 따르게 되는 것이어서 좋은 일이다. 민감성을 가지고 있어 상대 배우와 잘 연결되어 있다는 것을 보여준다.

그러나 때때로 인물은 악수하는 사람을 증오해야 한다. 그래서 이 증오의 만남 동안에는 상대 배우의 확장과는 상관없이 내적으로 수축할 수 있다. 또한 우리는 상대 배우를 미워하고 동시에 그 미움에 대해 거짓말을 할 수도 있다. 연극에서는 이러한 감정을 위장해야 하기 때문이다. 우리가 무엇을 추구하고 있는지 알아야만 쉽게 찾을 수 있다.

테크닉을 가지고 있다는 것은 연기에 필요한 것을 할 수 있다는 의미이다. 우리가 일관되게 할 수 없다면, 배우라는 직업으로 살지 못한다. 일관되게 잘하는 것은 큰 즐거움의 원천이다. 배우의 연기는 항상 즐거움을 가져다준다.

확장으로 긍정과 부정을 모두 말하는 것이 가능하고, 축소도 또한 긍정과 부정을 모두 말할 수 있다는 사실을 아주 현실적으로 이해해야 한다. 이것은 아주 중요한 문제이다. 이것을 놓치면 이러한 동작의 진정한 역동성이 사라지게 되고 그 결과는 재미없고 지루하다.

사랑도 확장이고 분노도 확장이다. 그것은 단순히 질적인 차이일 뿐이다.

## 03  가상의 중심

우리는 모두 중심을 가지고 있다. 모든 동작의 충동은 중심에서 시작된다. 중심은 신체에 있고, 신체의 어느 부분이든 중심이 될 수 있다. 배우는 신체 일부분을 중심으로 선택할 수 있다.

태양의 이미지로부터 시작하자. 태양이 가슴의 중앙에 있다고 상상하자. 가슴에서 머리로, 다리 아래로 태양이 비치는 것을 느낄 수 있다. 태양은 이상적이고 멋진 이미지이다.

코를 긁는다. 그러나 가슴의 태양이 코를 긁는 동작을 하게 한다. 충동은 태양에서 나와, 자신의 팔을 따라 내려가 손에 들어간다. 가슴의 태양이 자신을 움직이고 있다. 태양이 코를 긁고 있다.

태양으로부터 나온 충동은 이제 발로 내려간다. 이렇게 하면 걸을 수 있다. 이외에 다양한 행위를 찾아본다. 자신이 선택한 모든 행위를 태양이 하도록 시킨다. 시도해보자. 자신이 해야 하는 단순한 행위에 대한 책임을 포기하는 것에서 오는 자유를 즐긴다. 태양이 모든 것을 한다.

이제 머리에 태양을 놓는다. 에너지의 변화를 느낄 수 있는가? 잠시 기다린다. 머리에 있는 태양으로 코를 긁는다. 태양이 하게 한다. 코를 긁는 것을 걱정하기에는 자신이 해야 할 중요한 일이 더 많다고 생각한다. 다시 연습해본다. 중심의 위치를 이동하는 것의 차이점을 발견한다.

태양을 골반에 놓는다. 코를 긁되 골반의 태양이 그렇게 하도록 한다. 다시 연습해보고 차이점을 발견한다.

원래 이미지와 정반대인 얼음으로 동일한 연습을 해보자. 이 인물은 마치 골반, 가슴, 머리에 얼음덩어리를 가지고 태어난 것과 같다. 이미지에 자신을 넘겨주고, 자신에게 오는 것은 무엇이든지 받아들인다. 귀 기울인다. 그것이 우리가 추구하는 심리 변화이다. 실제 추위를 연기하는 것이 아니다. 우리가 찾는 것은 추위가 아니라 심리이다.

태양이나 얼음덩어리처럼 변형된 것으로 자신을 경험할 때 우리는 이미지에 의도된 연결을 만든다. 상상으로 심리를 변화시킨다. 이것이 전통적인 연기 이론의 이단처럼 들릴지 모르지만, 체홉은 '우리가 집중하고 있는 연기가 우리를 자신에게서 벗어나게 할 때, 비로소 올바른 방식으로 연기하고 있다는 것을 알게 된다.'라고 말했다. 상상은 우리를 자신에게서 벗어나게 하고, 자신과 자신이 할 수 있는 것에 대한 개념의 한계를 제거한다. 그것은 감각의 가능성과 자신을 표현하는 힘을 증가시킨다.

역탐지해보자. '얼음을 가진 사람은 어떤 사람인가?' 자문해본다.

배우: 가슴에 얼음이 있어 모든 사람과 단절된 기분이 들었어요. 말하자면 고립된 인물입니다. 제가 다른 사람과 접촉할 수 없다는 것이 아니라, 접촉을 하고 싶지 않았다는 뜻입니다. 다른 사람은 필요 없어요.

행위를 찾으려면 움직여야 한다. 행위는 감정 주변에 그냥 둘러앉아 있는다고 해서 나오지 않는다. 이것은 무기력으로 이어지고 감정의 세계에 갇히게 된다.

가슴의 얼음에서 나오는 자신에 대한 감각을 가지고 있다면 어떻게 상호작용을 할 것인가? 흥미롭게도 지금 자신에 대한 내면의 장애물인 얼음을 스스로 만들어냈다. 아마도 갈등을 겪고 있겠지만 그 세계에 대처해야 한다.

강한 스타카토의 새로운 템포로 전환한다. 필요한 모든 것을 받게 될 것이다. 템포 변경을 정당화한다. 중심과 계속 연결한다. 템포 이동의 원인을 알게 될 것이다.

중심을 바꾼다. 머리에 얼음을 넣는다. 그것과 접촉한다. 얼음을 거기에 놓는다. 변화를 느낀다.

중심을 바꾸며 새롭고 다양한 제스처를 계속 시도해보자. 제스처에 자신을 송두리째 맡기면, 무엇을 해야 하는지 알려줄 것이다. 제스처가 자신을 자유롭게 할 것이다.

중심을 바꾸면 다른 인물이 되는가? 경험은 무엇인가? 지금 중심과 함께 변화하며 연기하고 있다. 이것이 배우라는 존재의 중심이자 인물의 중심이 되게 한다. 자신이 하는 모든 것이 중심에서 비롯된다.

배우: 태양을 확장에 연결하고 얼음을 수축에 연결할 수 있나요?

그렇다. 그러한 연결이 우리가 특정 이미지로 연기하는 이유이고 초기에 확장과 수축을 도입하는 이유이다. 그것이 원칙이며 많은 것들이 원칙에 기반을 두고 있다. 태양은 밖으로 발산한다. 그것은 주기와 양육이다. 본질적으로 그것은 광범위하다. 얼음의 본질은 심리적 수축이다.

확장과 수축은 정말 아름답고 단순한 방식으로 함께 묶여 있다. 모든 것이 하나로 묶여 있다. 테크닉은 역동적 원칙에 적용되는 다기능의 간단한 도구를 제공한다.

이제 중심은 면도날 눈이다. 눈은 날카로운 면도날이다. 모든 동작이 거기에서 나온다. 면도날이 자신을 위해 동작을 한다.

배우1: 면도날 눈은 날카롭고 차가운 사람처럼 느껴져요.
배우2: 계산적이에요.

배우3: 공격적이에요.

배우4: 고립되어 있어요.

배우5: 예리한 관찰력을 가졌어요.

면도날 눈의 이미지는 마음이 좁고 수축된 느낌이다.
같은 위치를 유지하되, 이번에는 눈을 촛불의 불꽃으로 바꾼다.

배우: 촛불은 사랑스럽고 부드럽게 느껴져요.

불꽃은 부드럽고 광범위해서 모든 것을 포용한다.

배우: 정확한 방법은 무엇인가요? 인물이 아주 부드럽다고 말하며 촛불
처럼 눈을 사용하나요?

그것도 좋다. 이것이 인물의 중심이다. 이 눈을 전체 연극에서 가지게
될 것이다. 이제 중심 없이는 인물을 느낄 수 없다. 중심을 위해서는 용기
가 필요하다. '오늘 밤 나의 리허설은 중심을 찾는 것'이라고 말해야 하고,
몇 번의 리허설 동안, 중심에 많은 주의를 기울여야 한다. 그러면 중심이
제자리를 찾게 되고 더는 집중하지 않아도 중심이 거기에 있게 된다.

사고가 아니라 상상으로 연기해야 한다. 수업 시간에 기분이 좋다고
해서, 인물의 눈에 불꽃이 있다고 말할 수는 없다. 상상이 자신에게 이미
지를 줄 것이다. 하지만 지금은 그냥 중심을 사용해 그것이 자신에게 어떤
의미인지 발견한다.

배우: 이미지를 바꿀 수 있나요?

그렇다. 리허설에서 다른 이미지로 연기하면 알 수 있다. 중심의 성질을 바꾸는 것도 가능하다. 집중만 하면 모든 것이 중심에서 나온다. 인물은 냉담한, 부드러운, 날카로운, 건조한, 촉촉한 등과 같이 이미지의 성질을 보여준다.

배우: 가상의 중심을 바꿀 수 있나요?

계속해서 여기저기로 중심의 위치를 자주 옮기면 더는 중심이 아니다. 하지만 자신이 원하는 것, 연기를 위해 도움이 되는 것은 무엇이든지 할 수 있다.

중심에 대해 너무 많이 생각하면 문제가 발생한다. 체홉이 '작은 지성'이라고 부른 두뇌의 분석적이고 이성적인 부분은 '이것은 불가능하다, 이런 일이 일어나지 않게 하겠다'라고 말한다. 이유만을 따지려고 한다면 중심을 죽이는 것이다. 특정한 방식으로 움직이는 상상 속의 인물을 보아야 한다. '이것 봐, 그의 골반에 깨진 유리병이 있는 것처럼 보인다'라고 결론 내릴 수 있다. 그것은 고통을 표현하는 것이 아니라 골반에 깨진 병을 가지고 태어나는 것이다.

상상이 배우의 삶이다. 상상이 자신에게 이미지를 주었기 때문에 적어도 시도는 해야 한다. 이미지를 믿고 그것에 자신을 넘겨야 한다. 이미지가 옳지 않다면 언제든지 버릴 수 있다. 상상으로 연기하는 것은 항상 공짜이기 때문에, 특정 이미지가 자신에게 적합하지 않으면 다른 이미지로 교체하기도 매우 쉽다. 반면에 이성과 사고로 연기한다면, 이성은 이미지가 자신에게 도움이 되는 이유를 찾아 정당화하는 방법들만 찾을 것이기 때문에 자신이 찾아낸 이미지를 버리기 매우 어렵다. 공연에 도움이 되지 않는, 생각에 집착하는 배우들을 감독하는 것은 시간이 오래 걸리고 에너지를 낭비하는 일이다. 사실, 자신의 사고에만 이끌려 연기하는 것은 흔한 일이다. 사고는 과정으로서는 훌륭하지만 행위로서는 범위가 좁다. 사고는 사물의 범위를 좁히는 경향이 있다. 상상은 많은 것을 담고자 하므로 행위로서 폭이 넓고 광범위하다.

연기에서 가장 어려운 점은 무엇이 필요한지 아는 것이다. 우리는 필요한 것에 도달하는 테크닉을 배운다. 배우로서 우리는 장면, 연극, 인물에 필요한 것이 무엇인지 알아야 한다. 배우로서 원하는 것은 무엇이든 표현할 수 있지만, 표현하려는 것이 무엇인지는 알아야 한다.

대사는 필요한 것을 말해준다. 연극의 어느 특정 시점에서는 울어야만 하고 그다음에는 웃어야 한다. 이것이 필요한 것이다. 우리는 상황에 도달해야 하고 그 상황들 사이에서 순수해야 한다. 생각을 단순하게 유지하는 것이 가장 좋다. 여기에 테크닉을 적절히 사용하면 리듬이 복잡해져 복합적인 구성이 가능해진다.

## 04  사고, 감정, 의지

색다른 공놀이를 해보자. 모두가 공을 가지고 있으니, 동시에 공을 던져보자. 자신은 항상 한 사람에게 공을 던지고, 다른 사람으로부터 공을 받는다. 항상 다른 사람으로부터 공을 받고 한 사람에게 공을 던진다. 한마디로 삼각 연결이다. 책임은 공을 던지는 사람에게 있다. 공을 받는 사람이 항상 자신의 심장 앞에 공이 도착한다고 기대할 수 있게 심장을 겨냥한다. 각자가 던지는 사람이므로 각자 책임이 있다.

항상 모든 공을 계속 사용한다. 바닥에 떨어진 공은 모두 주워 다시 놀이에 투입한다. 놀이가 계속되는 동안 이 모든 것을 유지한다. 계속해서 던지고 잡는다. 얼마나 오래 지속될 수 있는지 확인하자.

아주 좋다. 처음에 약간의 어려움이 있었지만, 곧 방법을 알아내고 계속할 수 있다. 그룹과 자신의 신체가 더 깨어 있게 된 것을 느끼는가? 좋다.

세상에 나와 있는 막대기, 공, 베일에 주목해본 적이 있는가? 일상생활에서 이것들에 주목하면, 그것을 이용하는 방법에 쉽게 접근할 수 있고 쉽게 적용할 수 있다. 막대기, 공, 베일의 동작은 매우 현실적이어서, 그것을 찾는다면 바로 알 수 있다. 자신에게서 막대기, 공, 베일을 찾은 적이 있는가? 그것에 대해 자각하도록 노력해보자. 자신의 성질과 인물의 성질을 구별할 수 있어야 한다.

> 배우: 제가 감정이 많은 사람이 된 것 같아요. 원래 저는 생각이 많은 유형이어서 세상에 대해 아주 많은 생각을 하는 사람이거든요. (머리를 가리킨다)

사고가 많은 사람도 괜찮다. 사고가 많은 사람이 감정을 느끼지 못한다는 것을 의미하지 않는다. 로미오처럼 마지막 기능으로 생각하는 사람도 바보가 아니다. 그렇다. 자신이 어떤 유형인지 아는 것이 중요하다. 인물의 어떤 역할에서는 자신이 직접 갈 수 있고, 다른 상황에서는 테크닉을 사용해야 한다.

지금 우리는 자신의 삶에 관해 이야기하고 있다. 일이 아니라 인생에서 자신의 존재에 관해서이다. 삶에서 새로운 것을 발견할 수 있는지 알아보기 위해 이미 알고 있는 자신의 존재, 신체에 대해 살펴보자. 이미 신체 정보를 알고 있더라도 모르는 것처럼 행동한다.

머리를 가지고 있다는 것을 느낀다. 머리가 하나의 형태라고 느껴본다. 그것은 둥글고, 신체의 다른 부분과는 전혀 다르다. 이 둥근 머리는 생각을 하는 곳이지만, 일단은 머리가 있다는 것을 느끼도록 한다. 이 둥근 머리에 연결된 수직선을 목이라고 부른다. 목이 있다는 것을 느껴보고, 목이 목을 느끼게 한다. 목으로 머리를 움직일 수 있다. 목을 이용해 머리를 움직인다. 손이나 발을 움직여 말할 수 없는 것을 머리를 움직여서 말할 수 있다. 물론 실제 말하는 것이 아니라 상상으로, 동작으로 표현하는 것이다.

　이제 머리를 움직이고 이 움직이는 머리로 아주 구체적인 것을 말한다. 자신이 말하는 것을 명확히 알 수 있도록 여러 번 반복한다. 이제 똑같은 동작을 아주 빨리 한다. 정말 빠르게, 강한 스타카토 템포로 한다. 빠르게 한다. 그리고 멈춘다. 조금 전에 말했던 것과 같은 것을 말하고 있는가? 정말 편안함의 느낌으로 연습한다. 동작을 더 빨리할수록, 그것을 하는 것이 얼마나 더 어려워지는지 알 수 있다. 편안함의 느낌으로 이 빠른 동작을 수행하도록 자신에게 말한다. 의식적인 편안함의 느낌으로 이 동작을 하는 것을 경험해본다. 이제 아주 느리게 동작을 한다. 부드럽게, 멈추지 않고 느리게 한다. 동작을 만드는 것이 더 쉬워진다는 것을 알 수 있다. 같은 것을 말하고 있는가?

　목에 연결된 수평선을 어깨라고 부른다. 어깨를 가지고 있고 그 부분이 수평선이라는 것을 느껴본다. 머리로는 말할 수 없지만 어깨로는 말할 수 있는 것들이 있다. 어깨를 움직여 그 동작으로 매우 구체적인 것을 말한다. 이제 같은 동작을 빠르게 한다. 편안함의 느낌으로 다시 이 동작을 만들고 싶다고 자신에게 말한다. 아주 빠르게 그러나 아주 쉽게 움직일 수 있다는 사실에 기쁨을 느껴본다. 이 동작으로 무엇을 말하고 있는가? 이제 느리게, 아주 천천히 동작을 만들고, 말하고 있는 것이 변했는지 확인한다.

　어깨에 연결된 두 개의 수직선을 팔이라고 부른다. 팔을 느껴본다. 팔을 움직일 수 있고, 팔이 움직이는 동안 다리로는 말할 수 없는 아주 구체적인 것을 말할 수 있다. 동작을 반복하고 팔로 무엇을 말하는지 명확히 한다. 편안함의 느낌으로 이 동작을 아주 빨리 만든다. 거기에서 무엇이 변화했는가? 이제 천천히 동작을 만든다. 신체가 자신에게 말하게 하고, 자신이 지금 할 수 있는 것에 귀 기울인다.

수직선들에 연결된 것을 손이라고 부른다. 손을 보고 감탄한다. 그다음에 상상 속에서 손을 보고 손이라고 부르는 이 두 개의 위대한 것을 가지고 있다고 느끼도록 노력한다. 손을 움직여 무릎으로 말할 수 없는 것, 아주 구체적인 것을 말할 수 있다. 손으로 무언가를 말하는 간단한 동작을 만든다. 그런 다음 템포를 정상에서 스타카토로, 다음에 레가토로 변경한다. 계속 연습한다. 신체가 지식으로 자신에게 주는 것을 들어본다. 손을 가지고 있고 그것을 사용하는 경이로움을 느껴본다.

또한 어깨와 목에 연결되어 원통처럼 내려온 큰 덩어리를 몸통이라고 부른다. 거기에는 생명 유지에 필요한 기관들이 있는데 특히 흉곽에 의해 보호되는 심장도 있다. 몸통 부분을 느껴본다. 몸통을 움직일 수 있고 움직일 때 구체적인 것을 말할 수 있다. 그것을 명확하게 표현하기 위해 작은 동작을 만들 수도 있고, 몰두가 필요한 매우 큰 동작을 만들 수도 있다. 매우 구체적인 것을 이야기하고 말하는 동작을 만든다. 템포를 변경한다. 신체를 가지고 있다는 것과 지금 자신의 몸통이 말하고 있다는 것을 인식한다.

몸통에 연결된 또 다른 수평선이 있는데 이것을 골반이라고 한다. 골반을 가지고 있다는 것을 느끼고, 거기에 모든 관심을 기울인다. 그러면 그곳에 어떤 힘이 살고 있는지 바로 알 수 있다. 몸통에서 분리되어 완전히 다른 방식으로 움직일 수 있는 골반을 느껴본다. 골반을 스스로 움직이게 할 수 있고, 골반으로도 무언가를 말할 수 있다. 골반을 움직여 간단한 말을 한다. 단순하고 명확하게 한다. 그것은 너무 단순하므로 아름다운 것이 될 것이다. 훌륭하다. 이제 템포를 변경하고 이전과 같이 연습한다. 골반을 가진 것이 어떤 것인지 느껴본다.

골반에 연결된 두 개의 긴 수직선을 다리라고 부른다. 강하고 민첩한 신체 기관을 가지고 있다고 느껴본다. 다리가 어떻게 자신을 옮기거나 붙들고 있는지, 다리를 움직이는 것이 얼마나 쉬운지 느껴본다. 다리를 사용해 무언가를 말한다. 반복한다. 그런 다음 편안함의 느낌을 사용해 빠르게 동작을 만든다. 동작을 연습한다. 다리가 있다는 것에 대한 새로움을 발견한다.

다리에 연결된 기적과 같은 신체 기관을 발이라고 부른다. 발을 가지고 있다는 것과 발이 자신을 땅과 어떻게 연결하는지 느낀다. 자신의 발에 연결된 땅을 느낀다. 머리와 목에서 멀리 떨어진 곳에 있는 신체의 한 부분으로 다리를 느낀다. 발을 이용해 걸어본다. 걸을 때 땅을 어떻게 밀어내는지, 중력이 자신을 넘어지게 하는 원인이 되는지 인지한다. 그리고 나서 발로 앞으로 나아가는 추진력을 제공하는 것을 중단한다. 걷는 것을 멈추고 두 발 또는 한 발을 사용해, 머리로는 말할 수 없는 것을 말할 수 있다. 2가지 템포로 연습하고 변경한다. 발에 대한 새로움을 발견한다.

이제 방을 돌아다니며, 이 모든 신체 부분을 소유한 인간적인 형태를 가진 전체적인 존재로서의 자신을 느낀다. 자신이 움직일 때 이 부분들이 하나의 단위로 함께 작동하는 것을 느껴본다. 신체 전부를 사용해 큰 제스처를 만든다. 모든 부분이 하나의 통합된 전체로 움직인다.

좋다. 제스처가 신체에 가득 차 있다. 이제 편안함의 느낌을 사용해 제스처가 자유롭고 크고 단순하도록 시도해본다. 이 제스처를 발산한다. 이 제스처를 만들기 위해 자신의 모든 존재를 사용한다. 이제 다른 템포를 사용한다. 동작이 조화를 이룬다고 느껴본다. 자신을 놀라게 하는 신체에 귀 기울인다. 이렇게 연습하는 것은 무엇을 의미하는가? 제스처를 만들고 발산하면서, '나는 신체를 가지고 있고, 내 신체는 표현력이 있다'라는 대사를 말한다. 이미 그것을 알고 있다고 생각할지라도 다시 말한다. 대사는 그것이 무엇이든 간에 제스처에서 오는 느낌을 확인한다.

좋다. 앞의 대사를 말했을 때 무슨 일이 일어났는지 살펴본다. 자세의 변화를 눈치챘는가? 대사를 말할 때, 각자가 일종의 '경청하는 자세'가 되었는데, 어떻게 그 자세에 빠져들었는가? 이렇게 서 있는 습관적인 방법을 알아차렸는가?

아니다. 일반적으로 알아차리지 못한다. 제스처를 하다가도 대사를 말하게 되면, 배우들은 무의식적으로 신체를 가지고 있다는 것을 부인하고 대사를 듣고 말하기 위해, 이러한 습관적인 준비 자세를 취한다. 이러한 자세는 상당히 수축하거나 긴장된 것이지만, 얼마나 긴장되어 있는지는 알지 못한다. 이 긴장 속에서 에너지를 유출한다. 신체를 가지고 있다는 감각을 버리고, 또다시 대사를 말하고 있다는 것을 생각하는 머리가 된다. 통합된 전체로서의 자아를 느끼며, 에너지를 발산하며, 공간에 존재하는 신체 속에 머리는 아주 많이 살아있다. 이제 우리는 한 다발의 머리들이다.

나는 그 머리들을 배우들에게서 떼어내려고 하지는 않겠다. 자신이 좋아하는 어떤 방식이든 고수할 수 있지만, 배우가 자꾸 머리로 사고하는 이러한 습관은 육체에 대한 의식을 빼앗는다.

이 방에 함께 있는 동안, 5분마다 혹은 자신이 기억할 때마다, 바보 같거나 우스꽝스럽게, 부드럽고 편하게, 절대 긴장하지 않는 자세를 취하도록 제안한다. 모두 함께 진행할 재미있는 게임이다. 이것은 자신에게 신체가 있다는 것을 상기시켜준다. 부드럽고 바보 같은 자세에 있을 때, '나는 신체를 가지고 있다'라고 큰 소리로 말한다. 연습 중간에, 또는 나중에 아니면 내가 말할 때, 심지어 즉흥 연기 중에 이것을 해도 괜찮다. 우리는 모두 이해하고 새로운 신체 인식에 서로 격려할 것이다. 같은 자세를 반복해서는 안 된다. 반복은 다시 습관이 될 수 있기 때문이다. 신체와 함께 머무르되, 매번 자세를 바꾸도록 노력한다. 신체 감각을 변화시키고자 하는 진정한 욕망을 가진, 인물로 작업해야 한다.

여기에 가상의 중심에 관한 흥미로운 정보를 제시한다. 명확히 체홉의 이론이라고 말할 수는 없지만, 가상의 중심을 찾는 데 도움이 될 것이다.

— 머리 위쪽은 사고 중심의 사고 부분이다.
— 턱은 사고 중심의 의지 부분이다.
— 눈: 사고 중심의 감정 부분이다.
— 손: 사고
— 손가락: 사고
— 손 가운데: 감정
— 손바닥 아랫부분: 의지
— 아래팔: 감정
— 위팔: 의지
— 팔꿈치: 의지

## 05  느릅나무 아래 욕망 1

유진 오닐의 〈느릅나무 아래 욕망〉에 나오는 두 등장인물, 에번과 애비는 어떤 유형이라고 생각하는가? 이 연극에는 캐벗, 에번, 애비라는 3명의 주요 인물이 나온다. 만약 그들에게 지배적인 기능을 부여한다면 무엇일까? 예를 들어 비록 캐벗을 연기하지 않을지라도 그가 다른 사람과 함께 어울리는 전체 속에서 어디에 적합한지 생각하는 것은 나쁜 일이 아니다. 전체를 볼 수 있어야 한다. 전체에 대한 감각을 갖게 되면, 세부 사항을 볼 수 있고 필요하다면 전체를 분해할 수도 있다. 하지만 분해된 것을 다시 합치려면 전체를 알아야 한다. 마치 조각 그림 퍼즐을 만들 때, 퍼즐 상자를 계속 바라보며 그림 전체를 보는 것과 같다.

배우: 저는 캐벗이 그의 인생, 농장, 그리고 재산에서 성취한 모든 것 때문에 의지 유형이어야만 한다고 생각해요. 그것은 모두 그가 한 일이고 그는 모든 사람에게 그 점을 자랑합니다.

아주 간단하고 명확해 보인다. 나도 의지 유형이라는 것에 동의한다. 이미 우리는 캐벗이라는 인물과 그 인물이 전체적으로 어떻게 역할을 하는지에 대해 알고 있다. 그러면 에번은 어떤가? 그는 어떤 유형인가?

배우: 그는 애비와 그의 아버지 모두에게 너무 고집스럽기 때문에 의지 유형이라고 생각합니다. 같은 연극에서 두 개의 의지 유형이 가능한가요?

가능하다. 이야기를 전달하는 데 필요한 만큼 많은 의지 유형을 만들 수 있다. 하지만 이 고집이 어디에서 나온 것으로 생각하는가? 그를 자극하는 것은 무엇인가? 연극의 초반부터 그것을 알 수 있다.

배우: 그는 감정 유형이 확실합니다. 그는 애비의 등장에 속았다고 느끼며, 아버지를 매우 싫어해요. 그는 어머니를 끔찍이 사랑했어요. 우리는 바로 이 모든 것을 알고 있어요. 내가 보기에는 이런 것들이 강한 감정 같습니다.

에번을 감정 유형으로 보는 것에 동의한다. 3가지 기능이 모두 작동해야 하는 인간이라는 것을 기억하자. 여기서는 기능이 작용하는 순서를 찾는 것이다. 분석 없이도 에번이 먼저 자신의 감정에 의해 영향을 받고, 그다음에 행위를 하고, 마지막에 사고한다는 것을 알 수 있다. 이것은 중요하다. 이 정보를 적절하게 응용하면 에번을 연기하는 배우에게는 많은 문이 열리는 것이다. 사고, 감정, 의지의 3가지 기능은 문제를 해결하는 진정한 창조의 원천이 될 수 있다.

그럼, 애비는 어떤 유형인가?

> 배우: 다른 두 사람이 의지 유형과 감정 유형이기 때문에 그녀가 사고 유형이라는 것이 자연스럽게 따라가는 건가요? 기본적으로 그녀를 사고 유형으로 만들어야 하나요?

아니다. 억지로 유형을 만드는 것이 아니라, 이야기를 전달하는 데 가장 적합한 유형을 선택한다.

유진 오닐은 의심할 것 없이 훌륭한 극작가이다. 종종 그러한 유명한 극작가들도 적합한 유형을 따르기 때문에, 그들의 연극에서 사고·감정·의지의 3가지 기능의 배열을 찾을 수 있다. 의식적인 작업이든 아니든 상관없이, 이러한 구성은 그들의 작품에 자주 나타난다. 삶이나 드라마를 구성하는 것은 3가지 기능의 상호작용이다. 따라서 3가지 기능을 찾고, 인식하는 것은 배우의 연기에 많은 도움이 된다. 이러한 사고, 감정, 의지의 동작은 작품을 구성하는 놀라운 도구가 된다.

애비에 대해 어떻게 생각하는가? 그녀는 사고가 많은 사람, 감정이 많은 사람 또는 의지가 많은 사람 중에 어느 것인가?

> 배우: 그녀는 농장을 원합니다. 그녀가 할 수 있는 어떤 방법으로든 농장을 얻는 것이 그녀가 원하는 모든 것이죠. 그녀는 캐벗과 결혼하고, 이사하고, 아내와 어머니의 임무를 이어받고, 에번에게 악영향을 미치죠. 저는 그녀를 의지 유형으로 봅니다.

이 인물은 자신의 과거, 꿈, 다른 사람에 관한 생각, 그리고 자신에 관한 이야기를 들려준다. 그녀에 대해 알게 되면, 농장을 차지하려는 계획을 이해하게 된다. 그녀는 캐벗과의 결혼을 생각했는데, 그것은 계획적인 행위이다. 그녀가 에번에게 어떻게 접근할 수 있는지 항상 계산하는 것을 볼 수 있다. 그녀는 에번을 생각하기 때문에 그를 이해한다. 에번이 굴복하기 훨씬 전에, 그녀에게 그가 굴복할 것이라고 말한다. 왜냐하면 그녀의 계획에서 굴복이 일어나는 것을 상상했기 때문이다. 그녀를 사고 유형으로는 볼 수 없는가?

이 드라마에는 세 인물의 배열이 있다. 이것은 인물을 구현하기 위한 배우의 물리적 여정에 도움이 될 것이다.

이제 막대기와 베일을 사용해 이 인물들을 연구해보자. 여기서 애비에게는 사고의 막대기를, 에번에게는 감정의 베일을 사용할 것이다. 그는 어떤 유형의 베일이 될 수 있을까?

베일의 동작을 기억하는가? 그것은 수초처럼 부드럽고 유연하다. 이미지를 사용할 가능성이 너무 크다. 에번이 사회적으로 서툰, 농장에서 일하는 청년이라는 것을 알고 있다. 그의 아버지는 자신과 비교하여 너무 연약하다고 불평하지만, 그는 힘들고 고된 땅에서 충분히 버틸 정도로 건강하다. 대본을 읽음으로써 다가온 모든 사실을 받아들이고, 그것을 활용하여 에번에게 해당하는 베일의 특정 이미지를 찾도록 노력한다.

애비에게도 똑같이 한다. 물리적으로 그녀를 사로잡을 막대기를 찾는다. 동작은 선 모양이고, 약간 단단하거나 짧게 잘린 듯하다. 이것은 인물에 대한 유용한 예비 작업이다. 최종적인 인물이 아니라 단지 유형일 뿐이다. 특정 막대나 베일은 인물에 더 가까이 다가가는 데 도움이 된다.

이미지에 집중하면, 그다음에 통합할 수 있다. 이미지를 신체에 넣어야 한다. 체홉이 발견한 창조 과정의 단계는 다음과 같다.

상상 - 집중 - 통합 - 발산 - 영감

우리는 연기 작업의 시작에 있지만 이미 질문과 답변에서 열정적이다. 자신의 신체로 단순한 것들을 찾기 위해 움직이며 노력하고 있고, 이것은 자신을 활동적이고 능동적으로 만든다. 연기 작업이 자신을 만나러 왔고 신체 탐구에 참여하고 있다.

심리와 신체는 서로 얽혀 있다. 심리와 신체의 관계를 염두에 두고 움직이면 연기의 실체를 발견하고 획득할 수 있다. 연기에 대한 열정은 창조적 개성에서 비롯된 것이기 때문에 연기 욕망을 자극한다. 이미지를 통합하면 실제로 신체에 그 이미지와 함께 살게 되는 것이다.

'이미지가 나를 가지고 있다'고 자신에게 말할 수 있어야 한다. 이미지에 자신을 주어야 하고, 정말로 생명체를 이미지 쪽으로 움직여야 한다. 그러면 이미지가 자신을 자유롭게 하고, 놀라게 하고, 활기차게 할 것이다.

## 06  행위, 심리제스처

'물을 마셔라, 좋다'라는 문장을 말한다. 말하는 단어의 진정한 의미를 알 수 있도록 여러 번 반복한다.

이제 단어의 본질적인 의도를 표현하는 큰 제스처를 만든다. 그것은 하나의 동작이지 무언극은 아니다. 사고의 본질, 전체의 느낌을 찾으려고 노력한다. 아주 간단해서 쉬울 것이다.

그 동작이 정말로 전체를 표현하고 있는지 자신에게 물어본다. 그렇지 않으면 제스처를 변경해야 한다.

예술적 구조를 사용한다. 생명체로 시작하면, 다음에 물리적 신체가 동작을 포착하고, 생명체가 물리적 신체를 넘어 제스처를 계속하게 유지하고, 발산하면서 '물을 마셔라, 좋다'라는 대사를 말한다.

> 배우: 이렇게 하니 힘이 나는 것을 느낍니다. 마치 제가 정말로 무언가에 연결된 것 같아요.

이 동작 뒤에는 에너지의 흐름이 있어야 한다. 제스처가 이 흐름을 열어준다.

> 배우: 제 제스처가 너무 형식적인 것이 아닌지 잘 모르겠어요.

자신이 그 제스처에 의해 힘을 얻었다고 느끼는가?

> 배우: 예.

그렇다면 일단 지금은 좋다. 나중에 더 나은 것을 찾을 수 있다. 이제 생명체로만 제스처를 만들고, 생명체로 계속 제스처를 만들고, 또 만들고, 그것을 유지한 다음에, 반드시 해야만 할 때 위 대사를 말한다.

생명체가 제스처를 준비하게 해야 하고, 물리적 신체보다 먼저 제스처를 하게 해야 한다. 생명체가 제스처를 알도록 훈련한다. 제스처를 찾기 위해 물리적 신체를 사용하고 제스처를 배우기 위해 생명체를 사용한다. 이후에는 생명체가 제스처를 할 수 있고 사용할 수 있다.

제스처를 만들 때 자신은 무엇을 하고 있는가? 무엇을 하고 있다고 느끼는가?

배우1: 제안한다.

배우2: 포옹한다.

배우3: 준다.

배우4: 보여준다.

배우5: '나를 믿어라'라고 말한다.

누군가에게 자신을 믿어달라고 부탁할 때 무엇을 하고 있다고 느끼는가?

배우: 저는 그들에게 저 자신의 일부를 주고 있어요.

우리가 지금 하고 있는 것은 원형을 찾는 것이다. 우리는 조금 색다른 방식으로 원형에 접근하고 있다. 이것은 사실 인물의 원형이 아니라 행위의 원형이다. 배우들은 보통 그것을 목적이라고 부른다.

행위에 대한 원형적 서술의 하나가 바로 주기이다. '나는 준다'라는 문장이다. 누군가의 얼굴에 주먹을 줄 수도 있고 누군가의 입술에 키스를 줄 수도 있다. '나는 준다'라는 단순한 대사는 행위의 대사이다. 이것은 여섯 가지 원형적 행위 중의 하나이다.

제스처는 하나의 동작이다. 가능한 한 활동적으로 만든다. 가능한 한 신체의 많은 부분을 사용한다. 자신 안에서 계속되는 주기의 흐름을 느끼는가?

배우: 무언가를 느끼지만 그것이 무엇인지 정확히 알 수 없어요.

그런 다음 이 동작에서 나오는 충동에 따른다. 물리적 신체로 제스처를 할 때, 말을 하기 전에 먼저 생명체가 발산되도록 한다. 심리제스처는 일종의 질문이며 그 대답은 생명체가 제스처를 분출하는 발산에서 나온다. 우리는 대사가 서핑할 수 있도록 에너지 파도를 만든다.

생명체만으로, 내면의 제스처를 만들 때, 제스처를 만드는 동시에 대사를 말할 수 있다. 왜냐하면 자신이 에너지에 감싸이고 그 에너지 파도를 발산하고 있기 때문이다.

어떠한 행위에 대해 6가지 원형적 행위 중 하나의 이름을 지정할 수 있다. 모든 행위는 어떤 식으로든 연결되어 있다. 나는 준다, 나는 가져온다, 나는 원한다, 나는 거절한다, 나는 양보한다, 나는 주장한다.

자신이 주기라는 행위를 할 때 무엇을 하고 있는가? 행위로 연기하길 원한다면, 그것은 자신에게 흥미 있는 것을 사용하는 것이다.

배우: 마치 제가 그녀에게 '내가 널 괴롭힌다'라고 말하는 것 같았어요.

그것도 주기의 형태이다. 그래서 자신이 다른 사람에게 무엇을 하고 있는지 알아내는 것부터 시작해야 한다. 그녀를 괴롭힌 다음에 사람을 괴롭히는 것이 무엇인지 알 수 있다. 그것은 6가지 행위의 원형 중 하나가 될 것이다. 그것은 확실히 주기에 해당할 것이다. 너는 그것을 이해하는가?

원형으로 바로 간다면, 그것은 현명하고, 지적이고, 꾸밈없고, 일반적인 것이 된다. 정확한 행위를 찾으면, 그것은 원형과 정확한 제스처로 인도할 것이다.

특정한 제스처의 원형을 찾을 수 있는지 다음으로 알아보자. 원형적 행위의 이름을 지정한다.

— 감시하다 = 나는 가져온다.

— 꼬시다 = 나는 준다 또는 나는 가져온다.

— 도전하다 = 나는 준다.

— 죽이다 = 나는 준다 또는 나는 가져온다. ─상황에 따라 달라진다.

— 상환하다 = 나는 올린다. / 나는 준다.

— 논쟁하다 = 나는 주장한다.

— 위로하다 = 나는 준다.

— 애원하다 = 나는 원한다.

체홉은 행위의 세계를 연구하도록 5가지 원형 제스처를 제시했다.

밀다 ─ 당기다 ─ 올리다 ─ 던지다 ─ 찢다

행위의 특수성을 부여하는 것은 제스처의 성질이다. 제스처 안에 살며 그 충동에 따른다. 잠시 제스처를 유지하고 나서 내적 동작에서 나오는 충동에 따라 외적으로 구현한다.

배우: 각각의 반응은 아주 구체적으로 달라요. 머리에서 잡아당기는 것과 반대로 골반에서 잡아당기는 것은 다릅니다. 이것은 공식인가요?

충동과 반응은 미각과 같다. 필요한 것을 찾기 위한 수단이다. 필요한 것이 무엇인지 아는 것이 어려운 부분이다. 필요한 것을 알게 되면, 그것을 얻을 수 있는 도구를 갖게 된다.

배우: 자랑을 해야 하는데 어떻게 해야 할지 모르겠습니다.

사람들이 어떻게 자랑하는가?

배우: 행위를 먼저 찾아야 하나요? 아니면 제스처를 먼저 찾아야 하나요?

그것들은 같은 것이다. 결국에 그것은 내적 제스처가 되어야 한다. 내면에서 제스처를 만들어야 한다.

배우: 제스처도 역시 중심이니, 또한 중심에 그것을 놓을 수 있나요?

그렇다. 할 수 있다. 왜 시도하지 않는가? 너는 무엇을 자랑하고 있는가?

배우: 작은 것에서부터 시작해서 지금 많은 것을 소유하게 된 것. 결국 승리입니다.

자랑하는 것도 주기이다. 그것이 보이는가? 그 제스처로 확장한다. '나는 준다'로 확장한다. 모든 것을 동작으로 보아야 한다. 예를 들어 사랑의 동작은 무엇인가? 그것은 주기와 확장이다. 그것은 항상 사랑하는 사람을 향한 동작이다. 계속해서 사랑하는 사람을 향해 움직이는 것이다. 마음을 밖으로 내보내는 것이다. 연인들은 각각 상대방에게 마음을 보내고, 중간에서 만나고, 실제로 자신의 외면에서 서로를 찾게 된다. 진정한 사랑이라면, 그것이 돌아올 것이라고 믿는다. 이것은 모두 동작이다.

땅은 동작, 공기, 물로 이루어져 있다. 그것은 일정한 법칙에 따른다. 땅의 피조물로서 우리는 동작의 법칙에 적용을 받는다.

배우: 그녀가 그를 유혹하고 있다는 문장에서 유혹한다는 것도 행위인가요?

유혹. 유혹의 제스처는 무엇인가?

배우: 당기는 것? 가져오는 것!

그렇다. 유혹은 비밀스럽고 관능적이며 장난스러운 방식으로 끊임없이 당기는 것이다.

밀기와 당기기는 매우 유용하고 기본적인 것이다. 밀기와 당기기에서 바로 긍정과 부정을 느낀다. 전체 장면을 긍정과 부정으로 즉석에서 만들 수 있다.

다음은 제스처의 진행 과정이다.

1. 물리적 신체로 제스처를 찾는다. 제스처가 자신 안에서 무언가 자극하도록 개발한다. 제스처는 자신이 찾고 있는 바로 그것을 자극해야 한다.
2. 이제 생명체를 사용해 제스처를 시작하고 물리적 신체는 따른다. 물리적으로 제스처의 끝에 도달하면 생명체를 통해 제스처를 발산하고 유지한다. 이것이 예술적 구조이다.
3. 잠시 후 생명체로만 제스처를 만든다. 자신 안에서 움직이는 특정 에너지의 흐름이나 충동에 따른다. 신체는 주기, 가져오기 또는 자신이 하는 행위는 무엇이든지 간에 그로 인해 살아있게 된다.
4. 성질을 찾는다. 그것은 구체적인 행위를 주는 동작의 성질이 된다.

'나는 가져온다'의 제스처를 사용해 이제 신중하게 제스처를 만든다. 성질로 작업할 때 성질을 100%로 해야 한다. 100%의 노력이 제스처를 수행하는 데 신중하게 투입된다. 성질은 아주 매력적인데, 자신을 어디로 인도하는지 살펴보자. 이미 제스처를 알고 있으므로 성질이나 제스처를 만드는 방법에 집중할 수 있다. 이제 이 제스처는 매우 구체적이고 따라 하기 쉬운 특정 에너지를 깨우므로, 그것에 동의하며 따른다.

> 배우: 제스처를 조심스럽게 하는 것은 제 주변에 대해, 어쩌면 제가 그렇게 안전하지 않을지도 모른다는 것을 알게 했습니다.

실제로 안전하다고 느끼지 않는 자신 또는 인물에 대해 이야기하고 있는가? 내 말은, 경험으로서 제스처가 즐거웠는가? 그렇지 않은가?

> 배우: 네, 정말 즐겁고 매력적이었어요. 나는 제스처로 연기할 수 있어요.

그렇다면 그것은 좋은 일, 예술적인 성취로 생각된다. 그것이 우리가 추구하는 것이다. 연기를 아주 창조적인 사건으로 만들 수 있는 연기의 즐거움을 찾기를 원한다.
다음 순서로 연습한다.


— '나는 가져온다'의 제스처
— 신중한 제스처 수행
— 머리에서 신중하게 제스처를 수행한다. (사고 중심)
— 내적 제스처, 내적 동작에서 나오는 작은 외적 동작을 만든다.
— 가슴에서 같은 동작을 만든다. (감정 중심)
— 골반에서 같은 동작을 만든다. (의지 중심)
— 이제 성질을 부주의하게로 변경한다.
— 사고 중심에서 부주의하게 제스처를 움직인다.

이제 제스처를 내적 제스처로 만든다. 충동은 무엇인가? 그것에 따른다. 충동을 선택하고 사용하는 것은 자신의 몫이다. 성질에 따라 100% 부주의하게 한다. 어떤 행위에서든 최고점이라고 할 수 있는 순간이 있다. 우리는 그것을 달콤한 접점이라고 부른다. 이제 최대한 집중하여 제스처를 연습한다. 이 제스처에서의 최고점은 구체적으로 어디에서 경험하는가? 어느 순간에 가장 큰 에너지를 얻는가? 그것은 각자 다른 위치에 있을 수 있다. 집중하여 찾아본다.

생명체로 작업할 때 환상의 시간/공간으로 들어갈 수 있다. 아주 작은 동작도 오랫동안 유지할 수 있다. 전체 제스처를 보면 시작, 중간, 끝이 있다. 집중이 끝나기 때문에 발산을 유지하기가 어렵다. 계속해서 반복해야 한다. 계속해서 정말로 자신을 자극하는 것은 그리 많지 않다. 달콤한 접점을 찾아 그 안에 살면, 생명력과 창조력을 발견할 수 있다.

10분 동안 작은 동작을 유지한다. 내면의 제스처에서 나오는 무언가를 외부적으로 표현한다. 연습할 때는, 자신의 감정이 채워져 저절로 동작하게 될 때까지 대사 말하기를 회피한다.

충동을 따라가면 내적 사건이 외적 표현으로 변환된다. 최고점을 고수하지 마라. 작은 범위 내에서 지속적인 동작이 되게 한다. 작은 동작이지만 여전히 사건이다. 그것은 상상이고 우리가 그것을 유지할 수 있는 이유다. 그것은 반복해서 재생하는 것이 아니다. 그 안에서 사는 것이다.

이것이 무엇을 의미하는지 보여주기 위해 간단한 연습을 해보자. 두 손으로 주먹을 쥐고 이 주먹들을 점점 더 세게 꽉 쥔다. 이것 때문에 어떤 종류의 변화가 오는지 주목한다. 계속 쥐어짜듯이 주먹을 세게 쥐면 극도로 긴장하게 되고 모든 것이 죽게 된다. 아주 흥미로운데, 이제 긴장하지 않는 법에 대해 알려준다.

긴장하면 신체는 활기차게 작동하지 않는다. 긴장된 근육을 통해서는 움직일 방법이 없기 때문에 충동을 받지 못한다. 이제 내면의 손을 사용해 주먹을 만들고 점점 더 세게 꽉 쥔다. 외면의 손에는 긴장이 없다. 그것은 주먹이 아니다. 지금 작은 동작, 내적 동작을 유지하고 있다. 몇 분 동안 계속한다. 이 내적 동작의 결과로 자신이 경험하고 있는 것에 대해 예라고 긍정한다. 내적 동작에 착수하고 근육의 긴장이 없는 한 정보, 충동, 감각을 받게 될 것이다.

주먹 만들기를 분석하면 그것이 아주 작은 동작이라는 것을 알게 된다. 내면적으로 자신이 그 순간에 계속 살게 된다. 지속적인 경험이라는데 동의하는가? 얼마나 쉬운지 알겠는가? 이것은 복잡한 것이 아니며 많은 것을 제공한다.

배우: 제가 마치 무시할 수 없이 위험한 사람인 것처럼, 폭발하고 싶다는
　　　생각이 들었어요.

신체가 긴장되는가? 아닌가? 좋다. 이것이 내적 동작을 유지하며 연기하는 방법이다.

'나는 가져온다'의 제스처로 돌아가자. 이 제스처를 감각적으로 수행한다. 움직이는 방식에서 미적 감각을 찾는다. 이제 달콤한 접점을 찾는다. 분명히 말하지만, 내적 동작을 찾고 있다면 그것을 찾을 것이다. 일단 자신이 달콤한 접점을 찾으면, 생명체와 함께 지속해서 그 달콤한 접점에 살거나 경험한다. 그것은 간단하며 지속하는 것도 가능하다. 어떻게 가져오려는 욕망과 욕구로 가득 차게 되었는지 주목한다. 그리고 항상 내적으로 가져오고 있기 때문에 어떻게 가져와야 하는지를 안다. 신체는 내적 동작 때문에 살아 있다. 내적 동작으로 인해 확장된 삶을 향한 길을 찾았다. 축소된 삶도 뻣뻣하거나 지루하지 않을 정도로 신체에 표현력이 생기고 자유로워진다.

신체는 모든 것을 기억한다. 이것이 바로 제스처로 연기해야 하는 이유이다. 자신에게 제스처가 필요할 때 제스처는 자신을 위해 있을 것이다. 분석적인 지성은 잊을 수 있고 거짓을 말할 수 있지만, 신체는 기억하고 항상 진실을 말한다.

머리를 아래 혹은 위로 향하게 하거나, 손을 펴거나 쥐거나, 팔을 심장 위에, 심장과 수평으로 또는 심장 아래에 있게 하는 것과 같은 제스처의 아주 작은 변화도 메시지에 영향을 미친다.

에번은 애비를 거부하는 데 많은 에너지를 투입한다. 거부의 원형은 '나는 끝내고, 외면하고, 다시는 보지 않을 것이고, 거부하고 있다'라고 말한다.

우리의 제스처 중 일부는 흥미롭다. 모두 제스처를 탐구해야 한다. 제스처가 비록 흥미롭지만, 올바른 방법으로 자라지 않을 수도 있다. 제스처에 깊이 주의를 기울여야 한다. 등과 머리를 돌리거나, 두 손으로 얼굴을 가린 채 또는 한 손으로 다른 사람 또는 사물의 시야를 가린 채 몸을 숙이는 것은 무엇을 의미하는가? 똑바로 서 있는 것, 한 손으로 막는 것, 등과 머리를 돌리는 것은 어떻게 다른가? 이 2가지 거부 사이에서 큰 차이를 발견할 것이라고 확신한다. 이 장면에서 에번에게 적합한 것은 어느 것인가?

에번의 저항이 약해지면, 저항을 계속하더라도 조금 더 무력해진다. 왜냐하면 마치 의무적으로 하는 것처럼 느끼기 때문이다. 적에 대항할 것을 맹세한다. 그러나 그녀는 다른 형태의 주기와 몇 가지 가져오기로 그를 무너뜨린다. 여기서 이 거부의 흐름이 신체 전체에 퍼지도록 하여 어떤 일이 일어나게 한다. 이러한 경험이 있다는 것은 좋지만, 그것이 무엇을 의미하는지 알아야 한다. 그것이 무엇을 의미하는지 신체가 알아내도록 한다.

응접실의 두 번째 장면에서, 그는 애비와의 전투에서 졌고 그의 안에서 새로운 전투가 시작된다. 그는 너무나 크게 저항하여 마침내 그녀에게 넘어갈 때 그것은 큰 힘으로 작용한다. 그의 모든 저항이 일종의 댐을 만들어냈고, 이 장면에서 그 댐이 와르르 무너진다. 이 장면에서 '누구'는 인물이고, '무엇'은 욕망이며, '어떻게'는 감각이다.

만일 이 인물들이 어떻게 함께 움직이는지 이해하려면, 동작을 보아야 한다. 동작을 춤으로, 의미의 요약으로 본다. 누가, 언제 밀고 있는가? 그리고 누가 당기고 있는가? 그들의 춤은 무엇인가?

## 07 동작의 성질

우리는 이제 동작의 성질에 관해 함께 살펴볼 것이다. 성질에 대한 탐구는 원형적 방식으로 진행된다. 체홉은 그의 책에서 동작과 동작을 탐구하는 4가지 뚜렷한 방법을 제시했다. 이 4가지의 성질은 아주 놀랍다. 왜냐하면 이 4가지로 작업할 때, 셀 수 없이 많은 동작의 방법으로 연습할 수 있기 때문이다. 배우가 만들고 있는 심리제스처에 성질을 불어넣어야 하므로 이 부분을 지금 살펴보는 것이 중요하다. 앞에서 말했듯이, 성질은 배우에게 구체적이고 필요한 행위를 제공한다.

이 4가지 성질은 그리스 철학의 자연의 4원소인 흙, 물, 불, 공기이다.

가장 밀도가 높은 흙에서부터 시작해보자. 체홉이 얘기하는 흙의 성질은 조형이다. 진흙 속에 서 있다고 상상한다. 그 안에서 움직이려고 할 때 저항을 느껴본다. 체홉은 조형이라는 단어를 사용해 동작을 설명하지만, 마치 공기 자체를 조각하는 것처럼 움직일 것이기 때문에 조각이 더 적절한 표현일 수 있다.

주위의 공기는 진흙이며 자신은 그것을 조각하거나 조형해야 한다. 진흙 속에 엉덩이를 가라앉히고 몸통, 팔, 목이 잠길 때 공기가 동작에 저항하는 것을 느낀다. 하나의 동작이 끝나면 다른 동작이 시작된다. 숨을 쉰다. 동작을 '조형'할 때 편안함의 느낌을 유지한다. 저항으로 작업하고 있지만 동작을 하는 동안 긴장해서는 안 된다. 편안함의 느낌으로 연기한다. 공간을 차지할 수 있다. 능력의 한계를 넘어설 수 있다.

이제 자신이 진흙에 완전히 들어갔으니, 그 공간에 거대한 기하학적 모양을 조각한다. 손만 사용하려는 유혹에 빠져서는 안 된다. 신체 전부를 사용한다. 목이 있고 다리와 발, 팔꿈치 등이 있다. 이런 식으로 움직이는 것이 단지 천천히 움직이는 것이 아니라, 저항에 대항하여 움직이는 것이라는 점을 확실히 이해한다. 자신의 신체가 이러한 동작의 방식을 진정으로 이해한다고 느낄 때, 동작의 성질을 외부에서는 사라지게 하고 내부에서는 증가시킨다.

자신의 생명체가 이제 조형하고 있다. 의자를 찾아 그 안에 앉는다. 의자가 편안하지 않으니, 의자에서 움직여 편안함을 찾도록 하고, 모든 동작을 내부에서 조형하고, 육체가 내적 조형을 따르게 한다. 외부에서 아주 빠르게 계속 움직이면서 내적 조형과의 연결 상태를 유지할 수 있는지 확인한다. 외부 템포를 계속 높이고 내적 조형과의 접촉을 유지한다. 잠시 앉아 있다가 무엇인가를 보고, 그것을 가리키며 '본다'라고 말한다. 가리키는 동작을 내적으로 조형한다. 이것이 가리키는 제스처에 무엇을 가져다주는가? 그것이 자신에게 특별한 가치를 부여하는가?

체홉의 테크닉은 모두 동작에 관한 것이다. 항상 움직일 것이다. 자신이 동작에서 흡수할 수 있는 심리적 성질을 확인한다.

이것은 어떤 느낌인가?

배우: 어렵습니다.

무엇이 어려운가? 자신의 신체를 움직이는 것이 어려운가? 아니면 자신의 생명체를 움직이는 것이 어려운가?

> 배우: 신체를 어떻게 사용할 수 있나요? 가치를 이해하기 어렵다고 생각
> 해요. 이렇게 움직일 수 없을 것 같아요.

우리는 동작에서 심리적 가치를 흡수하기 위해 움직인다는 것을 기억해야 한다. 신체를 특정한 형태로 또는 특정한 방식으로 움직여서 발견하는 것은 내적 동작이나 내적 성질에 의해 다시 깨어나게 할 수 있다는 것이다. 자신이 하기 어렵게 만드는 것은 하기 전에 그것에 대해 생각하고 있기 때문이며, 그래서 의심과 지적 저항이 자신 안에 스며들기 때문이다. 다시 한번 시도해보고, 동작이 어떻게 공간으로부터 저항받는지에 모든 관심을 기울인다. 이 저항에 맞서 움직이기 위해 신체로 필요한 노력을 한다. 그러면 공간에 저항할 방법을 찾게 될 것이다. 신체와 심리에 어떤 일이 일어나는지 경험한다.

고개를 돌리고(조형) 누군가를 바라본 다음, 다시 돌려서 다른 사람을 바라본다.

이제 말하기를 시도한다. 대사를 조형하는 것도 가능하다. 자신에게 익숙한 독백을 사용한다. 이 독백을 새로운 방식으로 말하게 될 것이다. 만일 이상하게 느껴지더라도 걱정하지 말고, 시도해보고 그 결과를 확인한다. 원하는 방식이 아닐 수도 있지만, 이전에 생각해보지 못한 대사에 관한 새로운 것을 발견할지도 모른다. 조금 장난스러운 실험인데, 자신의 입에서 나오는 단어들이 형태를 가진 단어들이라고 상상해보자. 그 단어들은 공간에서 모양과 실체를 가지게 된다. 입에서 나오는 단어들을 이미 형태를 가지고 있는 사물로 보는 것과 같다.

어떤가? 그렇게 말해보았는가?

배우: 흥미롭습니다. 하지만 대사를 조형하면서, 대사에만 집중했더니 맥락을 잃어버린 느낌이 들었습니다.

다시 한번 말해봐라. 네 말을 이해하지 못했다.

배우: 대사를 조형하면서, 대사에만 집중했더니 맥락을 잃어버린 느낌이 들었습니다.

미안하다. 이해가 안 된다. 뭐라고 말했는가?

배우: 대사에 집중하니 맥락을 잃어버린 느낌이 들었다고 말했습니다.

뭐라고?

배우: 맥락을 잃어버렸습니다.

뭐라고? 이해가 안 된다.

배우: 나는 말했습니다.

위 대화에서 일부러 이해하지 못한 척했다. 배우가 어떻게 말을 시작했는지 보았는가? 자신의 말이 명확해지도록 얼마나 길게 말했는가? 문자 그대로, 그녀의 말은 저항에 부딪혔고, (계속 배우의 말을 이해하지 못한다고 했다) 그러자 배우는 자신의 말이 명확해지도록 조형하기 시작했고 그 다음에 나는 이해했다.

지금은 조형에 대해 너무 깊이 생각하지 않아도 된다. 나중에 생각할 시간이 충분할 것이다. 조형을 단순한 것으로 찾아내고, 조형이 무엇을 의미하는지를 발견하도록 노력한다.

조형을 사용하는 자연스러운 방법을 시도했는데, 그것을 인식했는가? 방법은 정말 간단하다. 그렇지 않은가? 조형을 하는 것, 정말로 조형을 하는 것, 자신을 표현하는 훌륭한 수단을 조형으로부터 받는 것은 언제든지 가능하다. 조형은 형태에 따라 연기하고, 배우의 연기에 일종의 질서를 가져다주는 우아한 방법이다.

대사를 말하고 조형한다. 내가 손뼉을 치면 정상적인 말하기로 돌아간다. 내가 다시 손뼉을 치면 조형으로 변화한다.

여기에서 무슨 일이 일어났는가?

배우: 직접적이고 예리했습니다. 대사로 다른 사람의 머리를 두드리는 것 같았어요. 대사가 명확해지도록 조형했어요.

우리는 대사를 조형할 수 있어야 한다. 대사의 조형은 항상 배우로 연기하는 것에 대한 것이다. 우리가 말하거나 행동하는 것에 의해 영향을 받는 상대 배우에 대한 것이고, 우리가 얼마나 구체적이어야 하는지에 대한 것이다.

머리를 움직여(오른쪽에서 왼쪽으로 돌려) 동작을 만든다. 이제 머리를 움직이지 말고 생명체의 머리를 움직인다. '내면의 머리'가 저항을 만난다. 어떤 일이 일어나고 있다고 생각하는가? 내적 사건을 외부적 표현으로 변환한다.

배우: 행위가 이야기를 알려줍니다. 관계가 바뀌었어요.

조형에 대한 저항을 느끼며 걷지만, 느릴 필요는 없다. 저항과 함께 최대한 빨리 걷는다. 내적 동작은 조형이고, 외적 동작은 빠르다. 그러면 어떻게 되는가? 이것은 영화를 위한 좋은 테크닉인데, 단지 내적 동작만 해도, 카메라가 내면의 모든 성질을 포착할 것이다.

다른 성질로 넘어가 보자. 그것은 흐름이다. 흐름은 물의 구성 요소와 연결되어 있다. 의자에 앉아 강 한가운데 있는 큰 돌 위에 앉아 있다고 상상하자. 이 돌이 강의 흐름을 방해하므로, 강은 양쪽으로 자신을 지나 흐른다. 이제 그 흐름에 손을 꽂아놓고, 흐름이 팔을 붙잡는다고 느낀다. 그런 다음에 그것을 잊는다.

흐름에 손을 계속 꽂아놓고 흐름이 자신을 붙잡고 있다고 느낀다. 결국 의자에서 일어나 강의 흐름에 휩쓸리게 된다. 이제 자신은 흐르는 강에 있고 흐름이 자신을 사로잡아서 계속 움직일 수밖에 없다. 이 동작에는 시작도, 중간도, 끝도 없다. 한 곳에서 다른 곳으로 흐르는 동작을 경험한다.

멈춘다. 주위의 에너지 흐름을 느낀다. 지금 의자에 앉아있지만 의자가 불편해서 가만히 있을 수가 없다. 움직여서 의자가 편안해지도록 해보지만, 흐르고 있어서 계속 움직일 수밖에 없다. 서거나 앉아도, 무언가는 항상 움직이고 있다. 아마도 엄지손가락을 만지거나, 긁거나, 호주머니를 뒤지는 것과 같다.

가능한 한 작게 동작을 하지만, 항상 무언가가 움직이고 있고 그래서 가만히 있을 수 없다. 눈을 움직이거나, 일어나거나, 이 불안한 흐름 속에서 산다. 나중에 흐름을 활용하기 위해 동작으로부터 심리적 성질을 흡수할 수 있다는 것을 기억한다.

이제 독백으로 돌아가자. 자신이 대사를 말할 때, 그것은 배수구를 열어 단어들이 계속 입에서 나오는 것과 같다. 대사의 흐름을 멈출 수 없다. 믿을 수 없지만 가능하다. 단어들은 끝없는 흐름으로 계속 입에서 나온다.

빠르거나 혹은 느릴 수 있지만, 중단 없는 흐름이라는 점은 분명하다.

이것을 어떻게 느끼는가?

배우: 흐름이 조형보다는 훨씬 쉽지만, 또한 상당히 다릅니다. 그렇게 중요한 문제는 아닌 것 같지만요.

흐름은 편안함의 느낌을 일으킨다. 조형은 형태의 느낌을 일으킨다.

배우: 흐름의 독백을 통해 인물이 제 마음속에 갑자기 떠올랐습니다. 편안하게 되는 것이 아주 많이 쉬워졌어요. 배우다운 것을 생각하지 않았지만, 배우다운 것들이 제게 다가왔어요. 대사를 말하는 것이 편안하게 느껴졌습니다.

좋다. 흐름의 방법으로 대사를 말하되, 손뼉을 치면 조형으로 바꾸고, 다시 손뼉을 치면 흐름으로 바꾼다.

배우: 정말 흥미로웠습니다. 독백은 손뼉의 변화에 자연스럽게 어울리는 것 같습니다. 그게 어떻게 가능한가요?

글쎄, 손뼉을 치는 것은 무작위였다. 나는 여러분의 독백을 모른다. 아마도 손뼉 중 일부는 독백과 일치했을 것이다. 그리고 아마도 여러분들 모두가 100% 정확하게 맞았다고 느끼지는 않았을 것이다. 이것은 단지 연습일 뿐이며, 대사를 가지고 연기하며 선물로 자신에게 오는 것을 발견하는 방법인데, 항상 생각할 필요는 없다. 사고를 너무 많이 하면 정말 지루할 수 있다.

이제 점점 가벼워지는 구성 요소에 대해 알아보자. 다음 순서는 불이다. 체홉이 이름 붙인 성질은 발산이다. 이것은 빛이 자신에게서 나오고 있다는 것을 의미한다. 의식적으로 빛을 내보내고, 계속해서 빛을 내보내자.

카메라에서 홍채와 같은 역할을 하는, 조리개가 머리 위에 있고, 원하는 대로 열고 닫을 수 있다고 상상한다. 이 연습은 자신이 빛나는 존재라는 생각으로 시작해야 한다. 자신 안에 밝은 빛이 있고, 그것은 밖으로 나가기를 기다리고 있다. 머리 위에 있는 홍채를 열고 이 구멍으로 빛이 반짝이는 것을 느낀다. 머리 위에서 빛나므로 실제로 직접 볼 수 없는 이 빛을 보고 싶은 유혹을 느끼지 않아도 된다. 하지만 빛을 비추면 확실히 느낄 수 있다. 이것이 우리가 원하는 것이고, 느끼려고 하는 것이다. 자신이 천장을 비추고 있다는 것, 또는 신발을 묶기 위해 몸을 구부리면 자신이 앞에 있는 사람을 비추고 있다는 것을 알 수 있다.

그것은 놀라운 힘의 느낌이다. 어두운 방 안에서 자신 또는 자신의 발산 때문에 다른 사람들이 그들의 길을 볼 수 있다고 상상해보자.

이제 홍채를 완전히 닫는다. 열거나 닫는 것의 차이를 느끼는가?

> 배우: 큰 차이가 있지만 그것이 정확히 무엇인지 말할 수 없어요. 홍채가 열려있을 때, 제가 꽤 현실적이고 강하게 발산하며 살아있다고 느꼈어요.

발산은 매우 즐거운 행위이다. 빛을 제공하여 사물을 밝고 즐겁게 하므로, 세상은 더욱 매력적으로 변한다. 그것은 진정으로 우리가 사용할 수 있는 힘이다.

자신이 원하는 곳에 홍채를 둘 수 있다. 양 손바닥에 하나씩 놓고, 열고 닫거나, 절반 또는 1/4을 여는 실험을 한다. 한 손은 닫고 다른 손은 여는 것과 같이 다양하게 시도한다.

여러 가지 변화의 가능성을 살펴보되, 머리 위에 있는 홍채를 잊지 않는다. 걷는 발걸음마다 바닥을 밝게 비추도록 홍채를 발 위에 올려놓는다. 꼬리뼈에도 하나를 놓는다. 자신이 사용할 수 있는 6개의 홍채를 만든다. 이제 모두 한 번에 열고, 한 번에 닫는다. 이렇게 하면 어떤 느낌이 드는가? 자신의 심리는 어떻게 변하는가?

우리가 심리라는 단어를 사용할 때 정신분석에 대해 말하는 것이 아니고, 프로이트나 과학적인 것에 대해 말하는 것도 아니라는 것을 이해하자. 우리는 단지 자신의 감각에 관해 이야기하고 있다. 그것은 단순한 것이고, 자신 안에서 변하는 것이고, 결과적으로 자신이 변하는 것이다. 바로 그 변화에 주의를 기울인다.

이제 빛을 발산하는 감각을 가지게 되었으니, 먼 거리까지 빛을 보낼 수 있도록 팔다리를 움직여본다. 이것은 열정과 집중으로 가득한, 에너지 있는 동작이다. 자신이 통제하고 있는 빛에 의해 주변 세계와 연결된다.

방에 있는 사람들에게 돌아다니며 인사한다. 그것 외에는 아무것도 할 필요가 없다. 이제 다시 빛을 보내자. 하지만 이번에는 그냥 가까이, 쉽게, 부드럽게 보낸다. 멀리 보내는 것과 다른 점이 있는가?

열은 불과 관련한 또 다른 속성이다. 빛이 자신에게서 나와 빛날 뿐만 아니라 따뜻함도 있다고 상상한다. 자신의 손에서 온기가 나오고 공간의 물체를 따뜻하게 한다. 이러한 상상은 어렵지는 않지만, 가능하다고 인정해야만 가능해진다.

무엇인가 자신에게서 나오는 것이 있고 그것은 따뜻함이다. 따뜻함은 자동으로 다른 사람에게 관심을 받을 수 있게 한다. 사람들에게 가서 그들에게 필요한 만큼 따뜻함을 전해준다. 의자에 가서 앉는다. 먼저 꼬리뼈로 의자를 따뜻하게 데운 다음, 의자에 앉아서 자신의 빛과 따뜻함이 의자 안으로 들어가 땅으로 내려가는 것을 느낀다.

앉은 자세로 발산하고, 따뜻함을 사용해 앉아 자신이 한 일을 살펴본다.

독백으로 돌아가자. 각각의 단어는 입에서 나오는 빛의 한 조각이며, 자신과 상대 배우 사이, 자신과 관객 사이의 공간을 밝혀준다. 그것은 조형 행위와는 다른, 발산 행위이다.

로미오는 줄리엣을 아름답게 만들고 줄리엣은 로미오를 아름답게 만든다. 그들의 사랑이 서로를 향해 발산되기 때문이다. 그들은 서로를 밝혀준다. 그들은 세상과 서로를 밝혀주고 따뜻하게 한다.

가만, 저 창문에서 쏟아지는 빛은 무엇인가?
저기는 동쪽, 그렇다면 줄리엣은 태양이다.
솟아라, 아름다운 태양이여, 질투심 많은 저 달을 잠재워라.
이미 슬픔으로 야위고 창백한 사람은 누구인가?　　　(〈로미오와 줄리엣〉 2막 2장)

셰익스피어는 발산을 알았고 배우들에게 그들이 말하는 대사와 함께 사용할 수 있도록 제공한다.

자신의 독백은 어땠는가?

배우: 발산의 독백은 제게 거대하고 강력하며 민감하기까지 하다고 느껴졌습니다. 저에게 좋은 경험 같았어요. 어떻게 거기에 도달했나요?

그 느낌은 연기 작업에 의한 것이고, 좋은 경험을 얻게 한 것이다. 감정을 느끼기 위해 사용한 과정에 대해 명확한 감각이 있는가?

손뼉을 치면 발산으로 독백을 시작한다. 다음에 다시 손뼉을 치면 조형 또는 흐름으로 변화한다. 또다시 손뼉을 치면 어떻게 말할지 선택하고 다시 발산으로 돌아간다. 손뼉으로 성질을 전환한다.

　　배우: 손뼉을 치는 것에 따라 전환하는 것이 흥미롭습니다.

　　그렇다. 체홉의 연기 테크닉으로 할 수 있는 것이 아주 많다. 테크닉은 배우의 사생활에 관한 것이 아니고 연기에 관한 것이다. 테크닉은 배우 자신이 하는 것이고, 독특하고 개별적이며, 배우 자신을 활용하고 표현하는 자신 안에 있는 예술가이다.
　　사랑이 빛과 따뜻함을 가지고 있다는 것을 알고 있지만, 자신이 사랑을 보내는 것은 아니다. 이렇게 하면 쉽게 감상적으로 될 수 있다. 객관적인 사물로서의 빛과 따뜻함을 이용해 사랑의 원형적 개념을 표현하는 것이다.
　　빛과 열은 또한 화산과 같은 폭발이 되어 매우 강력할 수 있다. 이 화산의 이미지를 사용하면 어떻게 되는가?

　　배우: 화산의 이미지는 확실히 뜨겁다고 느꼈습니다. 열정적인 방식으로
　　　　　말이에요.

　　좋다. 이제 부드러운 이미지를 사용하자. 밤중에, 숲 한가운데 작은 집이 있고, 창가에는 촛불이 타오르고 있다. 고요하고 가볍고 따뜻하다.

　　배우: 촛불은 제 공간에 누군가를 환영하며 맞이하는 기분이 들게 했습니다.
　　　　　조금 성스럽고 존경스러운 마음도 있었어요.

　　화산, 촛불과 같은 사물들은 서로 다른 특성으로 배우에게 충동을 준다. 사물을 관통하여 자세히 살펴보면 각 사물이 가진 충동의 범위가 아

주 넓어진다. 자신을 빛이나 화산으로 바라보는 것은 쉽고 재미있어서, 그것을 시도하기만 하면 그렇게 될 수 있다. 이것이 사물의 성질을 찾아, 동작의 성질을 연습하는 방법이다. 체홉은 이것을 '지속적 연기'라고 부른다. 하루 중 3분, 4분, 15분 정도 걸리는 과제를 자신에게 주고, 그것을 연습하는 방법이다. 세상으로 나가서 간단한 상호작용을 한다. 상점으로 걸어가 약간의 빵 아니면 어떤 것이든 구매한다. 자신이 산 물건에서 탐색할 성질을 선택한다. 아파트를 떠날 때 만나는 사물에서 시작하여, 계속 만나는 사물의 성질을 탐구하고, 다시 돌아오면 끝나는 연기 연습이다.

이제 마지막 구성 요소인 공기를 공부하자. 공기는 무게가 없고 가벼워서, 공기 안에서 어떠한 것도 실제 형태를 가질 수 없다. 성질 면에서 흙과는 거리가 멀다. 빠르고 날렵하다. 체홉은 공기의 성질을 비행이라고 했다. 자신이 만든 제스처, 자신이 하는 행위는 그대로 남아 있지 않고, 공간 속으로 날아가 사라진다. 마치 자신이 그곳에 도착하기도 전에 떠나는 버스를 타려고 노력하는 것과 같은데, 자신이 버스로 날아간다면 그 버스를 탈 수 있다.

머리를 왼쪽, 오른쪽, 위아래로 아주 빠르게 돌리고, 자신을 괴롭히는 말벌이 거기에 있는 것처럼 뒤돌아본다. 그것이 항상 머리 주위에 머물러 있다.

매우 뜨거운 모래 위에 있는 것처럼 걸으며 공간의 반대편으로 가야 한다. 이것은 비행을 위해 자연적으로 발생하는 조건이다. 말벌과 모래를 이용한 것도 일종의 비행이다.

자신이 날고 있다는 것을 안다면, 그것을 통제할 수도 있고, 그래서 공황이나 혼란으로 보일 수도 있지만, 그것은 혼란이 아닌 예술이다.

모든 것이 자신을 떠나 날아가고 있다. 먼지를 날리는 것과 같다. 그와 같은 동작을 만든다. 떠나고, 사라지고 마치 어떤 형태도 존재하지 않앉던 것 같다.

'뭐라고?', '거기 누가 있는가?'

가만히 서서 이러한 비행 동작들을 하고 있다고 상상한다.

이제 자신은 독백을 날릴 것이다. 가자. 멈춘다. 너무 시끄럽다. 빠르고 가벼운 것을 큰소리로 이해했는가? 이제 편안함의 느낌으로 시도한다. 쉽게 조금 더 조용하게 한다. 소리를 지르는 것이 아니다. 그것은 대사를 빨리 말하는 것에 관한 것으로, 너무 빠르게 대사를 한 적이 있는지, 누가 대사를 했는지 궁금해하는 것이다. '내가 그렇게 말했는가?', '내가 그렇게 말했는가?'

좋다. 나는 다시 손뼉을 칠 것이고, 비행에서 변화하는 순간에 원해서 선택한 다른 성질 중 하나로 변할 것이다.

이것은 훌륭했는가? 비행의 독백은 어땠는가?

배우1: 비행의 독백을 통해 자유를 느꼈어요.

배우2: 마치 놀이를 하는 것 같았어요. 어렸을 때 슈퍼히어로가 된 것 같았어요.

배우3: 손뼉에 맞추기가 매우 어렵습니다. 너무 빨리 생각해야 해서 정말 할 수 없었어요. 대사를 잃어버렸습니다.

바로 그것이다. 비행에 대해 생각하고 있다면 정말로 비행을 할 수 없다. 할 수 있다는 것만 알아야 하고 그런 다음에는 그것에 대해 생각할 필요가 없다. 마치 물병을 집어 드는 것과 같은데, 물병을 집어 들 수 있다는 것을 알고 있고, 그래서 아무 생각도 필요 없고, 단지 물병을 집어 들려는 의지만 필요하다. 그래서 어떻게 물병을 집어 드는지 연습해야 하고, 그래야 물병을 들 수 있다는 것을 알게 된다.

이러한 4가지 성질을 통한 연기는 작가가 대본에 넣어 놓은 자물쇠를 깨뜨린다. 자신이 모든 곳에 있는 것보다 더 명확하게 에너지를 보낼 수 있게 한다. 이 4가지 성질은 우주의 구성 요소이고, 말하자면, '어떻게'의 원형이다.

배우: 이것은 정말로 공간 속의 에너지를 변화시키는 것 같습니다.

그것을 느낄 수 있는가? 성질의 원칙은 마음대로 할 수 있다는 것이므로, 자신이 말하는 대사의 중요성을 변화시키기 위해 사용한다. 그것은 형태의 느낌으로 작용한다. 이제 대본을 검토할 때 사용할 이러한 도구를 가지게 된 것이다.

무대에서 자신이 하는 모든 일은 중요하다. 자신이 무엇을 버리고 무엇을 강조할지에 대해 선택해야 한다. 이 접근방식은 셰익스피어 작품에 아주 훌륭하게 적용된다. 그의 작품들에는 아주 긴 대사들이 있고 우리는 그것들을 연기할 방법을 찾아야 한다. 모든 것이 하나의 예술이다.

이 4가지 움직임의 방법은 우리가 해야 할 행위, 동작뿐만 아니라 심리제스처에도 강한 영향을 미친다. 우리가 성질을 적용할 때 조형의 힘으로 먼저 제스처에 접근할 수 있다. 하지만 4가지 성질을 가지고 움직이는 연습을 해야 하고, 그것들이 자신에게 어떻게 작용하고, 어떻게 반복적으로 변화하는지에 대해 매우 익숙해져야 한다.

여기서 다시 원형이 우리를 특정한 것으로 인도한다.

## 08 감각

우리는 이제 연극의 장면에서의 감정의 세계에 대해 살펴볼 것이다.

인물의 감정을 경험하는 수단으로서 감각에 대해 연습해보자.

모두가 의자에 떨어지는 경험을 한 번쯤 경험해봤을 것이므로 쉽게 공감할 것이다. 어느 날 의자에 앉을 때, 의자가 일정한 높이에 있을 것이라고 기대하면서 착석했지만, 실제로는 자신이 예상했던 것보다 몇 센티미터 낮았던 상황을 기억하는가? 그것은 빠르게 추락하는 감각이고 뱃속 깊은 곳에서 무서운 느낌이 일어나게 한다. 아주 짧은 순간의 경험이지만, 그럼에도 불구하고 기억에 오래 남는다. 이것이 우리가 오늘 살펴볼 주요 감각 중의 하나인 하강이다.

다 함께 아래로 떨어지려고 하는 나를 본다. 그러나 나는 너무 늦기 전에 발과 다리로 넘어지려는 내 신체를 바로 잡을 것이다. 하지만 내가 떨어지는 순간이 있었다는 것을 알 수 있다. 내 신체는 이 사실을 즉시 알게 되고, 떨어지려는 나를 잡아서 멈추는 아주 불편한 감각을 경험한다.

내가 다시 해보겠다. 나는 허리를 굽히지는 않았지만 발목이 구부러져 떨어지고 있다. 실제로 발을 헛디뎌서 떨어지지만, 바닥에 닿기 전에 회복할 시간이 있을 것이다.

나는 누구도 다치는 것을 원하지 않는다. 그러나 떨어지는 것이 무엇이고 그것이 신체에 무엇을 의미하는지, 그리고 신체가 감정 세계와 어떻게 소통하는지 경험하기를 바란다.

배우: 떨어지는 짧은 순간에 떨어지는 당신을 보는 것이 매우 불편하다고 느꼈습니다. 마치 제게 그런 일이 일어나고 있는 것처럼 느껴졌어요.

좋다. 너에게 일어난 감정이다. 내가 떨어져서 너에게 느끼게 한 것이다. 네가 느낄 수 있다면 어떤 방법이든 괜찮다. 그러나 자신이 쓰러지고, 넘어지는 것을 경험해보는 것이 더 좋다.

무용수나 곡예사는 오랜 연습을 통해 부상 없이 떨어지는 방법을 배웠다는 것을 알고 있기에 공연을 보면서도 공황 반응이 나타나지 않는다. 그들이 다치지 않을 것이라고 믿기 때문에, 그들이 넘어지는 것을 보는 동안에도 같은 경험을 하지 않는다. 보통 사람들은 하강을 조금만 눈치채도 내면에 공황 상태가 일어난다.

앞으로 떨어지고, 뒤로 떨어지고, 옆으로 떨어진다. 하강의 형태는 모두 다르다. 비록 하강이 짧더라도 우리는 실제로 공황 상태를 느끼게 된다. 그것은 자연스러운 정신적, 육체적 경험이다. 자신을 바로 잡아야 한다. 그렇지 않으면 다칠 것이다. 자신을 다치게 해서는 안 된다.

이제 의자에 떨어져 쓰러진다. 네가 쓰러졌을 때 의자가 뒤로 미끄러지는 것을 막기 위해 뒤쪽에 서 있을 것이다. 쓰러진다. 앉는 것과는 다르다. 의자에 뒤로 쓰러지도록 자신을 맡긴다. 공황이 오지 않는다면, 쓰러지지 않은 것이고, 그저 의자에 무겁게 앉았을 뿐이다. 공황이 느껴지는가?

배우: 네, 정말 무서웠습니다. 다시는 하고 싶지 않아요.

그렇다. 네가 느끼는 것을 나도 느꼈다. 이제 그것을 다시 할 필요가 없다. 의자에서 뒤로 쓰러지되 하강을 실제로 하는 것이 아니라 생명체로만 시도해본다. 앞에서 이미 다른 연습을 통해 생명체를 움직였기 때문에 충분히 할 수 있다고 생각한다. 생명체를 쓰러뜨리고 원하는 만큼 쓰러진 상태로 유지한다. 감각이 아주 짧기 때문에 그 짧은 순간을 달콤한 접점으로 삼아야 한다. 강렬하고 진실하다. 이것이 우리가 지속하고자 하는 이유이다.

하강의 시작은 달콤한 접점이다. 떨어지기의 끝이 아니라, 실제로 생명체가 떨어지기 시작하는 순간이다. 떨어지는 느낌이 무서워, 아마도 이 순간에 저항할 것이다. 원초적인 감각이기 때문에 저항하는 것은 당연하며,

자신을 보호하고 싶어 한다. 그것을 피하려고 노력하다 보면, 육체적 하강이 아니라, '내적 하강'을 할 수 있게 된다. 생명체가 계속 하강하게 한다.

의자에 완전히 쓰러지고 나면 2가지 일이 발생한다.

1. 하강이 끝나고, 감각도 끝난다.
2. 생명체가 신체로부터 너무 멀리 떨어져, 신체와의 접촉을 잃게 되고, 결과적으로 아무 일도 일어나지 않게 된다. 처음부터 다시 하강해야 한다.

생명체는 신체에서 불과 몇 센티미터 정도 떨어져 있을 수 있다. 생명체에서 너무 멀리 떨어져 멀어지면 신체를 잃어버릴 수 있다.

쓰러지기 시작하고, 계속 쓰러지고, 다른 의자로 걸어가서, 의자에 쓰러진 다음 쓰러지는 것을 멈춘다.

배우: 당신이 쓰러질 때, 그것이 당신이 받은 첫 번째 충격인가요? 그리고 그냥 그 상태를 고수하는 것인가요?

그렇다. 첫 번째 충격이다. 그렇지만 이미 동작이 멈춰 있거나 멈춘 것 같으므로 고수할 필요가 없다. 그것은 반복적이고 지속적인 사건이어야 한다. 그것은 지금 일어나고 있는 내적 사건이지, 이미 일어나 완결된, 네가 붙잡고 있는 사건은 아니다. 시각적 상상이 아니라 동작의 상상이다. 자신이 떨어지는 것을 보려고 하지 말고, 떨어지는 것을 느껴야 한다. 생명체가 떨어지고 있는 것이다.

이번에는 좀 더 쉽고 간단한 방법을 시도해보자. 아래쪽으로 움직이는 에너지를 심장이 있는 가슴에 위치해 놓는다. 내면의 심장 또는 에너지의 심장이 떨어지고 있다고 가정한다. 거기서부터 떨어지기 시작하고 그것을 유지한다. 땅에 떨어뜨려서는 안 된다. 그렇게 하면, 에너지는 더는 심장 부위에 연결되지 않고, 무릎이나 발에 연결된다. 이 특별한 사건이 항상 심장과 연결되기를 기대한다. 이렇게 하면서 걸어간다. 방에 있는 다른 의자로 걸어가서 앉는다. 앉은 후에는 떨어지는 심장을 멈출 수 있다.

배우: 그것은 강렬했지만, 저는 정말로 세상과 단절된 좀비처럼 느껴졌습니다.

그렇다. 네가 그렇게 하는 동안 좀비처럼 보였지만, 네가 하고 있는 것을 볼 수 있었다. 지금 중요한 것은 네가 할 수 있다는 것이다. 이제 너는 그것에 동의해야 한다. 잠시 후에 좀비 문제를 고칠 것이다.

배우: 상실의 결과로 오는 아주 강력한 상실 또는 공허의 감정을 느꼈습니다. 정말 끔찍했어요.

그러면 그것을 멈춘 지금 기분은 어떤가?

배우: 괜찮아요. 다 사라졌어요. 그런 일이 일어났다는 게 조금 신비롭네요. 그것이 어디에서 왔는지 모르겠어요.

그것은 하강에서 왔다. 정말 우리에게 일어난 일이다. 여기서 우리는 그 감각을 재현하고 있다. 우리는 '나는 정말 우울했다.' 또는 '그는 절망에 빠졌다.'라고 말한다. 우리는 이러한 관용구들을 사용해 말한다. 이러한 문구들은 어디에서 오는가? 그렇다. 심장이 떨어지는 것은 실제로 쓰러지고,

엄청난 충격을 받거나, 상심할 때 일어나는 일이다. 그런 일이 일어날 때 정신이 쓰러지거나, 어떤 식으로든 떨어지게 된다.

테크닉을 사용하게 되면, 배우는 자신이 필요할 때 하강을 시작하고, 필요할 때 하강을 중지할 수 있는 힘을 가지게 된다. 그리고 멈추면 어떠한 잔여물도 남지 않는다.

이제 슬픔을 연기하기 위해, 강아지가 죽었을 때를 회상하거나 아니면 또 다른 아픈 추억들을 떠올리면서 리허설 장소 밖에서 시간을 보낼 필요가 없다. 자신이 단지 아래로 떨어지기 때문에 자신에게 오는 감각과 연결하면 된다.

본질적으로 부정적인 것, 생각, 감정, 의지의 부족 등은 우리를 아래로 내려가게 하는 경향이 있다. 이것은 배우가 사용할 수 있는 지식이다. 자신에게 일어나는 일에 주의를 기울인다.

좀비 효과를 수정할 수 있는지 살펴보자. 이 연습에서는 집중이 중요하다. 한 가지 일을 하면서도 다른 일에 집중하는 법을 배워야 한다. 자신이 너무 몰입하여 주변 세계와의 접촉을 잃는다면, 이 매력적인 것도 전혀 유용하지 않다. 오히려 문제가 된다.

다시 떨어지는 심장으로 시작하여 방을 돌아다닌다. 의자에 앉으면 멈출 수 있다. 그러나 방을 돌아다니는 동안, 시간을 내어 주변에 무엇이 있고 누가 있는지 실제로 확인한다. 누군가를 찾아서 '나는 신체를 가지고 있고, 내 신체는 표현력이 풍부하다'라고 말한다. 순간적으로 말하고, 지금 자신이 어떻게 느끼는지 그 감정의 진실을 말한다. 깨어서 현재에 머무른다. 생각보다 훨씬 쉽다. 생각에 관한 것이 아니라는 것을 기억한다. 단지 떨어지기를 하고 있고, 떨어지는 느낌은 연기에 필요한 많은 것을 제공한다. 신체에서 느끼는 가장 작은 것에 대해서도 '예'라고 긍정을 표시한다. 그러면 더 많은 것이 올 것이다.

아래 방향은 여기서 정말로 중요하다. 자신의 심장, 귀, 눈, 심지어 성기가 떨어진다고 해도 그것의 특정한 의미를 변화시킬 수 있다. 아래로 떨어지는 것이 중요하다. 이것은 수직선, 비극적인 선에 관한 연기가 된다.

위치와 에너지만으로도 연습할 수 있다. 예를 들어, 에너지가 팔꿈치에서 새고 있다고 상상해보자. 인간의 생명력이 팔꿈치에서 새어 나오는, 가슴 아픈 비극이다. 고칠 수 없는 오래된 균열과 아래로 흘러내리는 에너지의 유출은 지구에 낭비가 된다.

지금은 어떻게 느끼는가? 여기에 무언가가 있는가?

배우: 제 몸에서 그러한 유출이 시작되도록 내버려 둔 후에, 제가 얼마나 나약하고 무관심했는지 믿을 수 없을 정도였습니다.

팔꿈치는 의지와 일치한다. 팔꿈치에서 에너지가 새고 있는 것에 무관심했다는 것은 놀라운 일은 아니다. 오히려 이러한 것들을 자세히 살펴보면서, 자신을 표현할 수 있는 미묘하고 자세한 방법을 발견할 수 있다. 연극에서의 순간 또는 전체 연극 자체에 대한 이해는 우리에게 좀 더 창조적인 성질을 가져다줄 수 있다. 바로 그것은 또한 사물을 바라보고 연기를 하는 즐거운 방법이다.

이제 성기에서 멀어진다. 우리는 이것이 의지의 중심이라는 것을 알고 있다. 이번 하강에서는 어떠한 의지가 깨어났는가?

자신이 그렇게 하는 동안, 누군가를 바라보고, 'go'라고 말한다. 그것은 무엇인가? 이것이 자신의 정상적인 상황인가? 어떻게 변했는가? 지금 어떤 상황에 처할 수 있는가?

배우: 하강은 아주 이상한 일이었습니다.

네가 이상하다고 말하는 것보다 조금 다르게 표현할 수 있는지 아니면 조금 더 구체적으로 말할 수 있는지 궁금하다. 질문이 어렵다는 것을 알고는 있지만 그렇다고 해서, 이상하다고 말하는 것은 실제로 아무 말도 하지 않는 것이다. 역탐지하여 자신의 반응이 어떤지 구체적으로 확인해본 다면, 배우 자신에게 매우 유용할 것이다. 이상하다고 말하는 것은 연습을 무시하는 태도이다. 정말로 뛰어들어 본질을 찾는다면 깨닫게 될 것이다. 예술가처럼 말하고, 배우처럼 말해야 한다.

> 배우: 하강에서, 아무것도 할 수 없다고 느껴져서 한심했어요. 그리고 'go' 라고 말하는 것은 약간 웃겼어요. 왜냐하면 저는 움직일 수 없기 때문이에요. 정말로 원했다면 움직일 수도 있었지만, 계속 나아갈 수 없는 인물의 삶에서의 일종의 성격이나 순간을 경험했어요. 이것을 발견하는 것은 짜릿했고 아주 쉬웠어요.

좋다. 이것은 배우가 말하는 것이다. 예를 들어 아마도 다음 달에 연극 연습에서 어떠한 상황을 접하거나 리허설에 참여하게 될 것이고 바로 이 작업을 묘사하도록 요청받을 수도 있다. 이제 시간이 지나도 동작을 하는 방법을 알 것이다. 그리고 그것이 정확하다면, 완전히 알게 된 것이다. 그러면 이제 자신이 그 동작을 하기로 선택만 하면, 그것은 기억되는 것이 아니라, 현재에 살아 있는 것, 항상 살아있는 것이 될 것이다. 너는 그것을 몇 번이고 반복해서 할 수 있다.

반씩 두 그룹으로 나눌 수 있는가? 이제 한 그룹은 심장에서 하강할 것이고 다른 배우 그룹은 지켜볼 것이다.

좋다. 잘했다. 이제 나의 관심은 관찰자인 관객에게 있다. 그리고 나의 질문은 앞에서 방금 연기한 배우에 관한 것이다. 이 배우들이 하강하는 것을 보는 동안 무슨 일이 일어났는가?

배우: 관객으로서 보기에, 당신의 심장이 배우들에게로 향해 갑니다.

배우들이 실제로 하고 있으므로, 하강은 실제로 일어나는 일이다. 관객 또한 생명체를 가지고 있고 그들이 하강하는 것을 목격할 때 움직이기 시작하는 에너지를 가지고 있으며, 그래서 관객 자신도 내적으로 동감이나 공감에 떨어지는 결과가 된다. 여기에 우리가 각광을 넘어 도달할 수 있는, 4번째 벽을 넘어 관객들에게 바로 도달할 방법이 생겨난다.

하강을 기억할 필요가 없다. 신체가 알아서 한다. 배우의 감정의 원천은 혼자만 느끼는 것이 아니라 누구나 느낄 수 있는 객관적인 것이 된다. 관객들은 감동할 것이다.

연기 비결은 슬프게 느끼지 않는 것이다. 그 장면이 슬픔을 요구한다면 하강을 해야 한다. 스스로 설정해서, 실제로 리허설에서 떨어지기를 해야 한다. 공연에서, 신체는 무엇을 해야 할지 너무나 잘 알고 있다. 왜냐하면 이미 리허설에서 그것을 해왔기 때문이다.

이제 하강하며 대응할 수 있게 되었으니, 다른 것을 시도해보자. 하강에 대해 저항할 수 있는지 살펴보겠다. 이것은 현실이다. 아마도 가장 현실적일 것이다. 아무도 이런 힘든 감정을 느끼고 싶어 하지 않는다. 배우들만이 그 감정을 느끼고 싶어 한다. 일반 사람들은 힘든 감정을 느끼지 않기 위해 마약 중독자나 알코올 중독자가 된다. 느끼지 않으려고 안간힘을 쓰는 배우를 지켜보는 것도 호기심을 불러일으키는 일이다.

하강을 시작하고 계속 진행하되, 저항한다. 그것을 하기보다는 다른 것을 한다. 그러나 하강을 중단해서는 안 된다. 저항할 어떠한 수단을 가지려면 그렇게 해야 한다. 나는 떨어진다. 아니다. 나는 떨어진다. 아니다.

이런 방식으로 한동안 계속 저항하다가, 떨어지기에 대해 '예'라고 말하고, 지금 자신을 데려가고 싶은 곳에 가도록 내버려 둔다.

나는 떨어진다. 그렇다. 나는 떨어진다. 그렇다.

배우: 제가 하강에 저항하다가 놓았을 때, 하강은 훨씬 더 강력했어요.

저항의 결과가 쌓였고, 그런 다음 감정의 홍수로 댐이 무너졌다.

하강의 반대는 상승이다. 이제 모든 것이 올라간다. 떨어지는 것은 불가능하다. 떨어질 수 없다. 떨어지지 않을 것이다. 위로 올라간다. 의자에 앉는 것은 불가능하다. 모든 것이 계속 올라간다.

이제 생명체는 자신 앞에서 공중에 떠올라, 등 위에 떠 있다. 그것은 단지 공기 중에 떠 있다. 현실적으로는 말도 안 되는 미친 이미지이지만, 만일 상승 방향과 하나가 된다면, 그에 상응하는 감각을 발견하게 된다. 우리가 하강할 때 계속 내려갔던 것처럼 이제는 계속 올라간다.

심장을 위로 띄우되, 신체의 심장 공간과의 접촉을 잃을 정도로 너무 높게 띄우지 않는다. 가만히 서 있는 것만으로도 아주 많은 동작이 일어나게 할 수 있고 그로 인해 강한 생동감을 느낄 수 있다.

내면의 뇌가 떠다니고 있다고 상상한다. 이렇게 하면 무슨 일이 일어나는가?

배우: 내면의 뇌는 저를 어지럽고 어리석게 만들었습니다. 아무 이유 없이 웃었어요. 모두가 어떤 농담 같은 것에 동의하는 것 같았습니다.

하강의 감각과 어떻게 다른지에 주목한다. 반대 방향으로 움직이게 되어서, 하강의 절망과는 멀어지게 된다.

성기에서 떠올라서 'go'라고 말한다.

배우: 상승의 감각은 정말로 다릅니다. 마치 우리가 오랫동안 기다려왔던 상이라도 받는 것처럼, 'go'라고 말을 했을 때 정말로 열심히 가고 싶었어요.

이것이 사물을 평가하는 방법이다. 상황은 배우에게 매우 중요하다. 이 특별한 상승의 내적 사건이 자신에게 어떤 상황을 주었고 그것이 자유롭게 행동할 수 있게 해준다. 이것이 연습을 정당화하는 방법이다.

우리는 배우이다. 그래서 정상적인 환경에서는, 연극의 상황이 우리에게 영향을 미치도록 허용한다. 주어진 상황이 분명하면, 그 상황이 우리에게 말할 것이다. 우리는 그것들에 관여할 것이고, 하강이나 상승은 우리가 필요로 하는 매우 구체적인 감정을 줄 것이다.

세 번째 주요 감각은 균형 또는 균형 잡기인데 이것은 평형을 찾아 유지하는 것이다. 균형은 하강이나 상승을 방지한다. 떨어지지 않으려면 무엇을 해야 하는가? 줄타기 곡예사는 떨어지기 직전에 자신을 붙잡아 세운다. 균형을 잡는 순간이다.

그게 어떤 느낌인가? 무엇을 하고 있는가? 무엇을 경험하고 있는가? 이 감각이 자신에게 어떤 영향을 미치는가?

배우: 살아남는 것?

그것이 자신이 경험한 것인가? 살아남으려면 무엇이 필요한가? 놀라운 발견의 순간이다. 자신의 모든 자원은 내가 계속 머무를 것이라는 사실을 뒷받침해준다. 나는 떨어지지 않을 것이다. 나는 지금 이해한다. 나는 안다. 균형을 찾아 내면의 것으로 유지할 수 있는지 확인한다.

이제 머리가 떨어진다. 머리를 잡는다. 머리를 잡는 순간과 감각을 유지한다.

배우: 균형이 승리의 감각이라고 말하는 것은 무리인가요?

균형이 때로는 그 앞에 오는 하강에 따라 미약한 감각이 될 수 있다. 또한 불확실성으로 인해 중지를 유발할 수도 있다.

연습 결과를 평가하는 방법을 배우자. 어떤 부분이 효과가 있었고, 어떤 부분이 효과가 없었는가? 그러면 테크닉은 흥미진진한 방식으로 발전할 것이며 결코 길을 잃지 않을 것이다.

## 09  감정은 행위를 이끈다

해변에 가면 바위에 달라붙어 있는 해초를 발견하게 된다. 파도가 밀려오면, 해초가 물에 떠다닌다. 마치 이 해초처럼 떠오르는 감정을 느낀다. 파도가 밀려가면, 자신을 지탱할 것이 아무것도 남지 않아서 떨어져야 한다. 물이 다시 들어오면 떠오른다. 자신을 받쳐주면 위에 있고 물이 나가면 아래에 있다. 자신이 내려가지 않아도, 받쳐주지 않기 때문에 떨어진다. 아래로 내려가는 것, 떨어지는 것, 아래에 있는 것, 위로 가는 것, 떠오르는 것, 위에 있는 것의 차이를 알아둔다.

배우가 무언가를 느낀다면, 그것을 표현할 권리가 있고, 신체가 그것을 표현할 수 있는 유일한 도구이다. 그 자리에 서서 대사를 말하는 것만으로는 충분하지 않다. 떠오르기를 계속하거나, 떨어지기를 계속한다. 자신 안에서 일어나고 있는 것을 표현할 권리가 있으니, 그렇게 한다. 위로 떠오르기 또는 아래로 떨어지기와 같은 신체 훈련을 생명체와 연결해본다. 물이 나가고 자신이 떨어진 후에, '나는 떨어진다'라고 말한다. 지탱하기 위해 물이 들어오고 자신이 일어나면, '나는 떠오른다'라고 말한다. 사실이라고 큰 소리로 말한다. 자신이 하는 것에 100% 집중한다.

이제 육체가 하는 것을 멈추고 오직 생명체로만 연습한다.

나는 떨어진다. 나는 떠오른다.

배우: 저는 생명체의 심장이 올라가고 내려가는 모습을 시각화하는 데 어려움이 있었습니다. 그 단계를 어떻게 해야 할지 모르겠어요.

앞에서 말했듯이, 너는 이것을 사건으로 경험하고 싶어 한다. 그러나 그것은 이미지의 시각화가 아니다. 동작의 구체화이다. 동작의 상상이다.

그림의 의미를 통해 인물을 시각화할 수 있는 것은 단 한 가지이다. 하지만 연기할 때는 이미지를 통합해야 한다. 그것은 어떻게 해서든 신체에 이미지를 넣으라는 의미이다. 그것이 생명체를 움직여 이런 일들이 동작으로 일어날 수 있도록 노력하는 이유이다. 통합하지 않으면, 표현할 수 있는 것이 거의 없다. 어떻게 채울 것인가? 통합하면, 정말로 통합하면 표현으로 가득 채워질 것이다.

배우: 심장 부위에서 느끼는 에너지, 가슴 부위에 집중된 에너지를 상상합니다. 그 에너지가 나를 넘어지게 하는 겁니까?

그것이 맞다. 에너지가 아래쪽으로 떨어지게 하거나 위쪽으로 떠오르게 한다.

이제 확장할 것이다. '나는 성장한다'라고 말한다. 실제로 성장한다.

사실인 경우에만 말한다. 계속 성장한다.

이제 수축할 것이다. 먼저 물리적 신체로 수축한다. 다음에 예술적 구조를 사용하고, 그다음에 생명체만 사용해 수축한다. 자신이 육체적으로 수축할 때, '나는 작아진다'라고 말한다. 그것이 자신에게 의미하는 것을 느낀다. 이제 자신을 표현할 수 있고, 표현할 것이 있다. 수축이 일어나고 있으므로 그것을 말할 권리가 있다. 신체에 수축을 넣는다. 신체에서 그것을 꺼낸다. 수축을 신체로 경험하고 또한 수축을 신체로 표현한다. 신체는 자신이 가진 유일한 도구이다. 계속 작아지고, 가능한 한 오래 유지한다.

계속 작아진다. 자신의 심장은 더 멀리 떨어지고, 외부에 있는 것과 덜 접촉하고, 더 고립되고 외롭다. 만일 거기에서 어떠한 감정을 느낀다면, 내보낸다. 두려워하거나 부끄러워하지 말고, 감정을 내보낸다. 표현할 권리를 가진 배우이다. 감정에 따른다. 감정은 어딘가로, 배우가 가기를 원하는 바로 그곳으로 배우를 안내한다. 거기에 무엇이 있는지 표현한다. 배우는 표현할 권리가 있다. 표현할 의무가 있다. 사건을 중단하지 않는다. 행위를 중단하지 않는다.

이제 우리에게 선택권이 있다. 나는 성장한다. 아니다. 나는 성장한다. 그렇다. 자신이 선택할 수 있다. 사건을 절대 멈추지 않고, 사건과 싸운다. 우리는 항상 이렇게 한다. 자신 안에 있는 어떤 것이 '나는 거기에 가지 않을 것이다. 거기에 가지 말자'라고 말한다. 그래서 만일 '아니오'라고 한다면, 그것에 대해 어떻게 할 것인가?

이제 상대 배우와 함께 연습하자. 둘 사이의 관계는 동감의 관계, 서로 사랑하는 관계로 설정하자. 서로 마주 보고 서서 떨어지기, 떠오르기, 성장하기, 작아지기를 시작한다. 이런 일이 발생하거나 발생하고 있는 경우에만, 한쪽 배우가 다른 배우에게 무슨 일이 일어나고 있는지 말한다. 예를 들어 만일 자신이 떨어지기를 한다면, '나는 떨어진다'라고 크게 말한다. 그것이 실제로 일어나고 있다면, 상대 배우는 이런 일이 일어나는 것을 보게 될 것이고, 이때 '나는 네가 떨어지는 것을 지켜본다'라고 말한다. 동감과 사랑이 있다고 정의한 관계이기 때문에 특정한 반응이 나타나기 시작할 것이고, 자신이 할 일은 이를 따르기만 하면 된다. 관계를 수용한다.

사랑하는 사람이 떨어지는 것을 보는 것은 즐겁지 않다. 자신이 그 사람을 사랑하기 때문에 아마도 동정심에 빠지게 될 것이다. 그렇다면 이제 자신도 '나는 떨어진다'라고 말할 권리가 있고 상대 배우는 '나는 네가 떨어지는 것을 지켜본다'라고 말할 것이다. 이 훈련은 자연스럽게 진행된다. 걱정하지 않아도 된다. 관계 때문에 변화가 찾아오는 것이다. 무슨 일이 일어나든 그에 따르면 된다. 상대방의 경험을 검증하기 위해 수시로 '나는 너를 지켜본다'라고 말해야 한다. 어디선가 검증을 시작해야 하지만, 그 다음에는 자체의 유기적인 과정을 따르도록 내버려 두면 된다. 변화를 강요하기보다는 내적 동작에 따른다. 그 동작이 자신을 어딘가로 이끌게 된다. 자신이 떨어지기 시작한다고 느끼면, 그대로 따르면 된다. 장난이나 속임수를 써서는 안 된다. 자연스러운 것에 따른다. 자신이 관계에 의해 어디로 이끌려가고 있는가? 신체를 사용해 표현한다. 신체가 자신을 위해 일하게 만든다.

관계를 경험하고 있는가? 그것이 무언가를 하고 싶게 만드는가? 우리는 여기서 감정의 세계를 다루고 있다. 감정이 무언가 하고 싶은 생각이 들게 하는가?

배우: 관계가 저를 이끌고 있어요. 저와 상대 배우 사이에 너무 많은 일이
일어나고 있어서, 엄청난 양의 감정을 느낍니다. 저는 실제로 저를
움직이는 방향들을 느낄 수 있습니다. 방향들이 상대방 안에서 움직
이는 것도 볼 수 있어요.

훌륭하다. 관계가 자신을 위해 일하는 것처럼 보인다.

이제 관계를 바꾸자. 반감의 관계, 서로 증오하는 관계로 설정하자. 똑같은 방식으로 똑같은 연습을 하되 새로운 관계에 맞춰 조정한다. 자신의 적이 떨어지는 것을 보거나 그들이 성장하는 것을 보는 것은 동감의 관계일 때와는 매우 다른 감정이다. 적 앞에서 떨어지는 것, 즉 굴복하는 것은 매우 어렵다. 그것으로 연습한다. 관계 속에서 산다.

배우: 저는 관점이 얼마나 중요한지 그리고 그것이 상대 배우와의 장면에서 어디로 향하게 하는지 알 수 있었어요. 저는 그녀를 미워하는 것을 정말로 즐겼습니다. 연기할 가능성이 너무 커졌어요.

흥미로운 일이다. 그녀를 미워하는 것을 즐겼다고 말했다. 정말로 자신에게 감정의 세계에서 연기할 기회가 주어진 것이다. 감정이 어떻게 작동하는지 볼 수 있고 감정에 감사할 수도 있다.

감정의 세계에서 우리는 다양한 행위를 한다. 자신의 방식으로 느끼고, 그것 때문에 상응하는 무언가를 하고 싶어 한다. 그러니 이제 감정에 머무르려고 노력한다. 감정이 행위에 동기를 부여하게 한다. 무언가를 하고 싶다고 느낄 때 또는 무언가를 해야 할 필요가 있을 때, 우리가 확인한 6가지 행위, 나는 원한다, 나는 거부한다, 나는 준다, 나는 가져온다, 나는 주장한다, 나는 양보한다 중 하나를 선택한다. 내적 제스처로 그 행위들을 연습한다. 그냥 대사만 해서는 안 된다. 제스처를 하고 그다음에 대사를 말한다. 이것이 진실이 되며, 동작에 대한 확실한 증명이 된다. 내적 제스처를 만들고 그것을 하는 동안에 대사를 말하는 것이다. 그렇게 하면 제스처에서 발생하는 충동에 따를 수 있다. 이제 모든 것은 감정에서 나온다.

사물을 바라보는 또 다른 방법이다. 행위로만 연기한다면 너무 춥다.

그래서 감정이 필요하게 된 것이다. 감정이 무언가 하고 싶게 만드는가? 그래서 무언가 잡을 필요가 있다고 느끼면 제스처를 하며, '나는 가져온다' 라고 말한다. 그 행위를 할 때 상대 배우가 '나는 네가 가져오는 것을 지켜 본다'라고 말할 필요는 없다. 이 반응은 감정의 세계에만 남겨두자. 반감의 관계를 유지하고 다시 시작하되 이제 행위를 포함하지 않는다.

> 배우: 오늘 밤 우리가 했던 모든 것에 제가 아니다라고 말하는 느낌이
> 듭니다.

아니다. 내가 보기에 너는 우리 작업을 신뢰하지 않는다. 너는 '나는 운다'라고 말하고 있다. 강렬한 정서를 가져야 한다. 지난번에 내가 의자에 서 떨어졌던 것처럼 강렬해야 한다. 자신을 속여서는 안 된다. 자신이 말 하는 것은 '나는 운다'이다. 그냥 떨어져야 한다. 믿어야 한다. 하강에 따라 야 한다. '나는 떨어진다'라는 말을 스스로 해야 한다. 그것이 자신이 해야 할 것이다. 이런 것들을 연습해야 한다.

자신에게 무슨 일이 일어나고 있는지 제대로 인식해야 한다. 자신의 존재 일부가 이렇게 했다고 느낄 수 있어야 한다. 주변을 둘러보는 것으로 시작하자. 실생활에서 울고 있는 사람을 지켜본다. 실생활에서 울고 있는 사람을 정말로 쳐다본다. 그들이 절망에 빠져 있고, 실제로 내면에서는 떨 어지고 있다는 것을 알게 된다. 정신이 가라앉거나 떨어지는 것을 보게 된 다. 이렇게 하는 것이 이 테크닉을 습득하기 위해 자신이 할 수 있는 가장 좋은 방법이다. 자신의 연기에서 느끼고, 그것을 주변 세계에서 확인한다. 세계에 주의를 기울이고 객관적인 인간의 진실을 찾는 것이다. 인간으로서 우리를 하나로 묶어주는 것들을 보려고 노력한다. 이것이 우리가 해야 할 일이다. 우리는 개인적인 방식으로 사물을 보는 경향이 있다. 이것은 우리

를 서로 분리한다. 결합 요소는 무엇인가?

> 배우: 알 것 같아요. 제 말은, 절망의 관점에서 떨어지는 것을 이해한다는 것입니다. 그가 절망에 빠졌다는 말은 저에게 사실로 다가옵니다. 우리는 또한 '나는 사랑에 빠졌다'라고 말하는데 이것은 우리가 모두 느끼고 싶어 하는 것, 긍정적인 것인데요. 이것도 떨어지는 것인가요? 우리는 사랑에 빠지나요?

사랑의 상태를 표현하는 오래된 방식이기 때문에, 그렇게 해야 한다고 생각한다. 사랑이 긍정인데 떨어지는 것이냐고 말하지만, 사랑에 빠지는 것이 그렇게 긍정적인 것만은 아닐 수도 있다. 물론 사랑에 빠지는 것은 기분이 좋다. 하지만 그것은 여전히 떨어지고 있고, 위기에 처하게 할 수 있다. 나는 똑같은 질문을 받았고 그것을 조사했다. 어느 날 스튜디오에서 불, 물, 흙, 공기에 떨어지는 4가지 요소를 가지고 연습했다. 공기가되어 공중으로 떨어지기 시작했을 때, 바닥이 없다는 것을 깨달았으나, 그것은 공기일 뿐이었기 때문에 계속 떨어졌고 흙바닥에 부딪히지는 않았다. 나는 하강에 굴복했고, 그 경험은 매우 아름답고 활력이 넘쳤다. 나는 떨어지기에 굴복하여 자유로워졌고 사랑에 빠진 것처럼 너무 아찔하고 크고 부드럽고 멍청하게 느껴졌다. 이제는 사랑에 빠지는 것이 객관적으로 무엇을 의미하는지 알 것 같다. 배우로서 사랑을 재현하려면, 떨어지기에 굴복해야 한다. 여기서 가능한 한 가장 큰 것은 절대 끝나지 않을 하강에 굴복하는 것이다.

잠에 빠지는 것을 좋아한다. 우리는 실제로 잠에 빠지기도 하고, 지하철에서 잠에 빠진 사람을 관찰할 수 있다. 이것도 하강이다. 우리가 살펴본 모든 관용구는 동작의 실제 그림이다. 관용구는 무엇이 진실인지 묘사하지만, 우리는 이 단어들과의 진정한 연관성을 중단했고, 그것들을 실제로 경험하지 않고 말할 뿐이다. 우리는 요즘 머릿속에 너무 많이 살고 있다. 농담에 속아 넘어가면 어떻게 되는가? 그렇게 바보가 되었다는 것을 깨달았을 때 자신의 신체는 어떻게 하는가? 사실 이것은 아주 육체적인 문제이다. 지금 시도해보자. 자신이 속았다고 가정해보자. 사기나 도박 게임에 속아본 적이 있는가? 돈을 잃은 사람과 그들의 신체가 무엇을 하는지 지켜보자. 배우의 관점에서 이런 방식으로 주의를 기울이면 세상은 정말 환상적이다. 자신이 배우라면 세상과 다양한 관계를 맺는 것도 좋다. 배우는 실제로 어떤 일이 일어나고 있는지 볼 수 있고, 그것이 배우 자신의 경험을 확대시킨다.

## 10 느릅나무 아래 욕망 2

연극 장면으로 돌아가자. 무슨 일이 일어나고 있는지 마음속에 그려보았는가? 그 장면이 훌륭하게 연기되는 것을 상상해보았는가? 그 장면이 최고로 완벽하게 연기되었는지 확인한다. 먼저 장면을 보고, 그다음에 연기한다. 무언가 결과가 나와야 하므로, 먼저 장면을 파악한다.

제스처는 행위이다. 제스처를 하면 무언가 행위의 결과가 나온다. 올바른 제스처를 위해서는 장면을 보고 사건이 무엇인지, 무슨 일이 일어나야 하는지 알아야 한다. 우리는 여러 가지 도구를 가지고 연기할 수 있으며 신체에 필요한 순간을 설정할 수 있다. 도구를 식별하고 어떻게든 신체에 맞게 도구를 조정해야 한다. 이것은 즉흥 연기의 경우에도 동일하게 적용된다. 우리는 형태를 평가해야 한다. 연기를 할 때마다 다를 수 있지만, 특정한 생각이나 특정한 감정은 이야기를 제대로 전달하는 데 필요하다. 그것은 제스처와 감각을 사용해 신체에 설정할 수 있다. 우리는 연습이나 훈련을 통해 개발한 연극 언어를 사용한다. 이 연습에서는 대본을 사용하지 않는다. 두 등장인물 사이에 무슨 일이 일어나는지 한번 살펴보자. 행위와 반응의 언어를 사용할 것이다. 시도해보자.

그녀: 나는 성장한다.
그  : 나는 주장한다.
그녀: 나는 성장한다.

대본은 잊어버리자. 이것은 즉흥 연기이다. 지금 연극의 대사에 대해서는 너무 많이 생각하고 있지만, 그녀에 대해서는 관심을 기울이지 않고 있다. 그녀를 이용하자. 그녀는 두 번 성장했고 너는 한 번도 그것을 지켜보지 않았다. 책상에 머리를 맞대고 둘러앉아 연기를 고민하는 대신에, 즉흥 연기를 하며 장면에 대해 많은 것을 배울 수 있다.

그녀: 나는 성장한다.
그  : 나는 주장한다.
그녀: 나는 성장한다.
그  : 나는 작아진다.

너는 또다시 '나는 그녀가 성장하는 것을 지켜본다'라고 말하지 않았고, 그녀가 성장하는 것을 보지 못했다. 이것은 게임이다. 우리는 연필로 말하는 과학자가 되는 것과는 반대로, 배우로서 이렇게 하면 이렇게 느낄 것 같다고 하는 장면을 연기한다. 이것이 분석적인 지성을 벗어나 연기할 수 있게 해준다.

2번째 장면: 애비와 에번

그녀: 나는 성장한다.

그  : 나는 네가 성장하는 것을 지켜본다.

그녀: 나는 성장한다.

그  : 나는 네가 성장하는 것을 지켜본다.

그녀: 나는 성장한다.

그  : 나는 주장한다.

그녀: 나는 가져온다.

그  : 나는 작아진다.

그녀: 나는 네가 작아지는 것을 지켜본다.

그  : 나는 거부한다.

그녀: 나는 가져온다.

그  : 나는 떠오른다.


그만. 너는 떠오르고 있었는가?


배우: 네, 그렇게 생각합니다.


아니다. 네가 떠오르는 것을 보지 못했다. 나는 앞의 장면에서 일어난 일이 매우 자연스러웠다는 것을 지적하고 싶다. 그녀는 너를 혼란스럽게 하는 말을 했고, 너는 머리에서 떨어지고 있었다. 너는 그것에 대해 고심하고 있었다. '나는 떨어진다'라는 말은 거기에서 해야 했다. 왜냐하면 그 것이 이 연습에서 네가 하는 일이고, 그렇게 했다면 그녀가 더 많은 것을 얻었을 것이기 때문이다. 너는 이 안에서 살아 있어야 한다. 그는 그녀를 어떻게 느끼는가? 그가 무엇을 하는가가 아니라 그가 어떻게 느끼는가이다. 그는 자신의 의지와는 반대로 끌려갔는데, 그것이 그녀를 어떻게 느끼게 하는가? 네가 하강에 동의하고 그것을 인정하고 어떻게 느끼는지 깨닫는다면, 하강은 자신을 다른 곳으로 이동시켰을 것이다.

다른 것을 시도한다. 연기하는 것을 두려워해서는 안 된다. 먼저 느끼고 느끼는 곳으로 가야 한다. 이것은 배우로서 연기하는 작은 게임이다. 연기에 관해 토론하는 대신에 우리는 오늘 이런 방식으로 연습할 것이다.

다른 커플의 연습을 보자.


그녀: 나는 성장한다.

그 : 나는 네가 성장하는 것을 지켜본다.

그녀: 나는 성장한다.

그 : 나는 네가 성장하는 것을 지켜본다.

그녀: 나는 가져온다.

그 : 나는 떨어진다.

그녀: 나는 네가 떨어지는 것을 지켜본다.

그 : 나는 떨어진다.

그녀: 나는 떠오른다.

그 : 나는 네가 떠오르는 것을 지켜본다.

그 : 나는 작아진다.

그녀: 나는 네가 작아지는 것을 지켜본다.

그 : 나는 거부한다.

그녀: 나는 주장한다.

그 : 나는 떨어진다.

그녀: 나는 네가 떨어지는 것을 지켜본다.

그 : 나는 거부한다.

그녀: 나는 떠오른다.

그 : 나는 네가 떠오르는 것을 지켜본다.

그녀: 나는 성장한다.

그 : 나는 네가 성장하는 것을 지켜본다.

그 : 나는 작아진다.

그녀: 나는 네가 작아지는 것을 지켜본다.

그녀: 나는 떠오른다.

그 : 나는 네가 떠오르는 것을 본다.

그녀: 나는 떠오른다.


좋다. 상상 속에서 먼저 장면이 연기되는 것을 볼 필요가 있다. 그렇게 하면 동작을 보고 즉흥 연기를 할 수 있다. 일단 이러한 두 인물의 행위와 반응에 대한 기본적인 이해가 끝나면 여기에 작가의 대사를 삽입하면 된다.

우리가 사용하는 어휘를 명확히 하자. '나는 떠오른다'는 위로 올라가는 것이다. '나는 성장한다'는 것은 강해지는 것이다. 구형으로 확장하는 것도 모든 방향으로 움직이며 성장하는 것이다. '떠오르기'는 위쪽으로 올라가는 것이고 상승, 부유도 같은 의미이다.

이러한 연습은 연기에 대한 따뜻한 접근이다. 연필을 들고 책상에만 앉아 있는 것은 차갑다. 따뜻한 접근이 배우를 연기에 더 가깝게 한다. 배우는 주기 또는 받기를 하는 때를 알아야 한다. 장면을 시각화할 수 있다면, 선택에 대해 갈등하지 않는다. 그러나 시각화는 오직 한 가지이다. 동작의 상상이 필요하다.

일단 우리가 우주의 법칙을 이해하고 받아들이면, 우리는 더는 법칙의 노예가 아니다. 우리는 법칙을 조종해서 사용할 수 있다. 삶이 너무 복잡하다고 믿기 때문에 상황을 복잡하게 만드는 경향이 있다. 우리는 아주 기본적인 동작의 법칙만을 따르고 있다. 우리가 다양한 도구를 얻을 수 있게 되면, 그것들이 객관적이고 자유롭다는 것을 알게 된다.

비록 연극에서 악의 주제로 연기를 한다고 해도, 악을 자기 집까지 가져갈 필요는 없다. 당일 리허설을 마치거나 공연을 끝내면 그 주제를 모두 잊어버려도 된다. 그래야만 한다. 그렇지 않으면 우리는 광기로 가는 길에 올라서게 된다.

무슨 일이 일어나고 있다고 느끼는 대로 하고, 그런 다음에 무슨 일이 일어나고 있는지 말한다. 이것은 단지 연습이지만, 연습처럼 하지 말고 반대로 놀이처럼 한다. 이러한 접근을 통해 기쁨을 찾는다. 놀이를 통해 매우 진지한 것을 발견할 수 있다. 배우를 플레이어라고 부르기도 한다. 플레이어는 선수·경기자와 배우를 의미하는 중의적 단어이다. 우리는 연습에서 놀이의 요소를 찾아야 한다. 연습은 게임이다. 게임을 통해 연극 장면에서 필요한 순간을 발견할 수 있다. 전체 장면의 씨앗을 발견할 수도 있다.

장면을 알아야 한다. 장면에 대한 약간의 실마리를 찾아야 한다. 핵심은 놀이를 통해 장면을 연습할 때 연극에 도움이 되는 정보를 얻는 것이다. 장면이 지나갈 때 사용할 표지판 또는 닻을 만드는 것과 같다.

자신이 배운 모든 것을 다 사용할 필요는 없다. 많은 규칙과 도구가 있지만, 필요한 것만 사용하면 된다. 때로는, 모든 것이 필요 없을 수도 있다. 테크닉은 자신이 어떠한 수준에 비해 부족하다고 느낄 때, 자신이 무언가에 의지할 필요를 느낄 때 유용하다. 만일 테크닉의 도움이 필요 없다면 이미 영감을 받은 배우이다. 그저 영감에 따라 연기하면 된다.

첫 번째 장면

그녀: 나는 떠오른다.

그　: 나는 네가 떠오르는 것을 지켜본다―나는 거부한다, 나는 성장한다.

그녀: 나는 네가 성장하는 것을 지켜본다—나는 떨어진다, 아니다—나는
　　　주장한다—나는 성장한다.
그　: 나는 네게 성장하는 것을 지켜본다—나는 거부한다.
그녀: 나는 준다.
그　: 나는 떨어진다, 아니다.
그녀: 나는 네가 떨어지는 것을 지켜본다, 아니다, 나는 떠오른다.
그　: 나는 네가 떠오르는 것을 지켜본다—나는 거부한다, 나는 거부한다
　　　—나는 성장한다.
그녀: 나는 네가 성장하는 것을 지켜본다—나는 떠오른다.
그　: 나는 네가 떠오르는 것을 지켜본다—나는 거부한다.
그녀: 나는 준다—나는 성장한다.
그　: 나는 네가 성장하는 것을 지켜본다—나는 떨어진다, 아니다.
그녀: 나는 네가 떨어지는 것을 지켜본다, 아니다—나는 떠오른다.
그　: 나는 네가 떠오르는 것을 지켜본다.


좋다. 이제 여기에서 무언가 감정이 일어나고 있다. 이제 게임을 이해
하고 있다고 생각한다. 좀 더 복잡하고 꽉 찬 감정이 느껴진다. 감정은 배
우들에게 아주 좋다. 그러나 행위는 우리에게 의지적 행동을 준다. 행위는
춥기 때문에 행위로 바로 가서는 안 된다. 행위를 찾기 위해서는 먼저 감
정의 세계로 가야 한다.

체홉은 '지성은 예술의 살인자이다'라고 말하며 사고를 앞세우는 연기
를 단호하게 거부했다. 분석은 지적인 사고이고, 분석을 시작할 때는 배우
의 창조적 정신을 사용하는 것이 아니라 이성적 정신을 사용하는 것이다.

리허설에서 제스처를 하고 그 내적 행위로부터 나온 진실에 의해 대
사를 말한다면, 배우가 연기할 때 신체가 그 제스처를 기억하고 배우를 위

해 거기에 있을 것이다. 행동이 오고 그것은 내적 동작에서 나온다.

> 배우: '나는 존재한다'에 대해 설명해주실 수 있나요? '나는 존재한다'를
> 잘 모르겠어요.

아마도 그것에 대해 모를 수도 있다. '나는 존재한다'라는 행위를 하기 전에 공간을 느끼며 서 있는 인물의 제스처이다. 감정도 행위도 아니다. 그것은 인물에 관한 서술이고, 원형이다.

그런데 여기에 변수가 있다. 이 연습을 틀에 박힌 것으로 만들고 싶지는 않다. 확장과 수축은 역동적인 원칙이다. 확장은 긍정적이기도 하고 부정적이기도 하다. 수축도 긍정적이기도 하고 부정적이기도 하다. 한 가지 또는 다른 한 가지로 제한해서는 안 된다. 가능성을 탐색하고 가능성과 함께 연기한다. '나는 존재한다'의 순간을 찾을 수 있는지 확인해보자. 인물이 '나는 존재한다'라고만 말하고 더는 아무것도 말하지 않으며 공간을 채우는 존재의 순간이다. 연극에는 이러한 순간이 많다. 이것은 장면, 장면의 사건, 장면의 동작을 알기 위해 리허설에서 필요한 것이다. 그러면 우리는 대사를 쉽게 배울 수 있다.

그녀는 무엇을 원하는가?

> 배우: 그와 관계를 맺는 것, 그를 설득하여 자기편으로 만드는 것.

좋다. 누군가를 설득하려면 어떻게 하는가? 말할 때마다 손을 사용한다. 이것이 제스처로 이끌 것이다.

> 배우: 그에게 마음을 열어야 합니다.

훌륭하다. 그녀의 제스처 속에서 '주기'는 무엇인가? 그녀는 마음을 열고 있고 이 제스처가 자신을 주는 것이다. 이제 대사를 말하고 마음을 열어, 내면의 제스처를 그에게 준다. 각 행의 대사 전체를 변경하는 제스처가 아니라, 배우 자신에게 적합한 하나의 제스처를 찾는다. 단순한 것이 최고이다. 단순한 것이 연기의 리듬을 바꿀 수 있고, 이미지를 정확히 붙잡을 수 있다. 복잡한 리듬이 있는 단순한 아이디어를 원한다.

그에게 마음을 열어준다. 그런 다음에 내적 동작을 따라가고, 그것이 진짜라면, 충동이 일어나고 행동이 나온다. 무언가가 나올 것이다.

그녀가 그와의 틈을 메우려고 한다면 무엇을 해야 하는가? 둘 사이의 공기를 따뜻하게 하는가?

## 11 사고

사고의 세계를 통해 테크닉을 사용하는 또 다른 방법을 살펴보자. 테크닉은 배우에게 무대에서 결코 다시 생각하지 않아도 되는 자유를 준다. 이것이 일부에게는 안도감으로 다가올 수도 있고, 생각이나 사고로 연기하는 사람들에게는 겁나는 일이 될 수도 있다.

체홉은 무대에서조차 사고한다면, 연극은 정말로 생각하는 데 너무 많은 시간이 걸려 중단될 것이라고 말했다. 연극은 정해진 공연 시간에 진행되므로, 생각하기 위해서는 또 다른 시간 감각이 필요해진다. 그래서 우리는 사고를 연기해야 한다. 배우들은 그렇게 생각하는 것에 겁을 먹지만, 시도해보지 않을 이유가 없다.

중요한 것은 배우의 사고가 배우에게 어떤 의미인지 관객이 알고 있다는 것이다. 우리가 머리로 생각한다는 것은 모두가 안다. 우리의 두뇌는 머리에 있고 심지어 자신이 머리로 사고하는 것을 느낀다. 그래서 만약 특정한 내적 활동에 집중하고 그것을 머릿속에 위치시키면, 관객들은 신체의 머리 부분이 행위에 있어 활발하게 작용하는 것을 볼 것이기 때문에, 우리가 사고하는 것처럼 보일 것이다. 사고가 의미하는 것은 사고 자체보다 더 가치가 있다. 자신이 무슨 생각을 하고 있는지 아무도 알 수 없으므로, 사고가 필요한 의미를 전달하기만 한다면 머릿속에서 무슨 일이 일어나고 있는지는 중요하지 않다. 사고에 대해 말하는 것보다는 사고를 하고, 사고를 보는 것이 훨씬 더 쉽다. 함께 시도해보자.

내면의 왼쪽 눈을 확장한다. 눈을 크게 떠 큰 눈을 가지라는 것이 아니라, 바로 내면의 눈을 중심으로 확장 행위를 하라는 것이다. 계속한다. 내적 행위에 완전히 집중한다.

이것으로 인해 무언가가 일어나고 있다는 느낌이 드는가? 그것을 할 수 있는가?

이제 무슨 일이 일어나는지 확인해보자. 여기 3명이 이 행위를 한다. 빠르게 집중한다. 우리가 지켜볼 것이다.

배우: 내면의 눈을 확장하니, 머리 주위가 아주 활동적으로 보였고 구체적이어서 환상적이었어요. 어떤 특정한 생각을 하는 것처럼 느껴졌어요. 그러나 저 자신이 생각할 때의 모습은 아니어서 가짜처럼 보일 것으로 생각했지만, 내적 행위가 무언가에 깊이 관여한 것 같았어요.

그 말이 맞다. 그것은 자신의 사고를 '보여주는 것'이 아니라, 특정한 사고의 성질 속에 살며 그것에 반응하는 것이다.

이제 3명이 다시 내면의 눈을 확장하고 나머지는 지켜본다. 약간의 시간이 흐른 후에, '물론 나는 이것을 항상 알고 있었다'라고 말한다. 그런 다음 행위를 중지한다.

배우1: 내면의 눈의 확장을 통해 스토리를 알게 되었어요. 그녀가 자신에게 만족했다는 것과 어떤 새로운 상황에 빠져들게 된다는 것을 알게 되었어요.

배우2: 그렇게 느꼈어요. 내면의 눈을 확장할 때 저는 제 주변의 세계를 느낄 수 있었고 그곳에 들어가 자유롭게 살 수 있었어요. 하지만 그 느낌은 오래가지 못했어요.

내면의 눈의 확장은 자신 안의 배우가 살아나서, 연기하고 싶어 하는 것이다. 우리는 극작가가 아니다. 주어진 상황을 연기하는 배우이다. 주어진 상황 안에서 살며 공감할 수 있도록 주어진 상황 안에 들어가기 위해서는 자신에게 주어진 상황을 떠올려야 한다.

모두 오른쪽 눈을 수축하고, 자신이 그것을 느낄 때, '아, 그런 생각은 안 해봤다'라고 말한다. 이제 이것은 완전히 다른 것이지만, 테크닉의 관점에서 보면 똑같다. 머리 어딘가에 있는 단순한 행위이다. 하지만 이것은 다른 의미와 다른 반응을 보인다.

만약 실제로 머리 부분의 확장이나 수축처럼 무언가에 집중하고 있다면, 그것은 마치 생각하는 것처럼 보일 것이다. 이것은 생각하려고 애쓰거나 생각하는 척하는 것보다 더 흥미롭고 재미있다. 궁극적으로 우리는 어떤 것에 대해 그저 어느 지점까지만 생각할 수 있다. 말하자면, 배우는 이미 리허설에서 연기에 대해 많은 생각을 했을 것이고, 더는 생각할 게 없으므로, 결국 무대 위에서는 생각하는 척할 것이라는 의미이다. 사고는 정말로 몇 번이든 반복해서 할 수 있는 주기나 거부하기와 같은 행위가 아니다. 사고는 행위와는 매우 다르다. 그러나 사고를 연기하는 것은 행위이다. 배우가 사고를 표현하기 위해 선택한 행위가 현재 일어나고 있고 그 행위에 반응하고 있다면, 바로 그 안에 진실이 있을 것이다. 특정 순간에 필요한 진실을 선택하는 것은 배우 자신에게 달려있다.

내면의 귀가 떨어지게 한다. 계속 떨어지지만, 원래 위치에서 너무 멀어지지 않는다. 귀 옆에서 아래로 움직이는 에너지를 사용한다. 행위에 신체를 맡기고 자신 안에 배우가 깨어나게 한다. 이것은 또 다른 사고이다. 여러분 모두를 바라보는 것만으로도 알 수 있다. 사고를 연기할 수 있다는 것을 보는 것은 멋진 일이다. '나는 할 수 있다'라고 크게 말한다.

배우: 나는 할 수 있다!

스스로 할 수 있다고 말했고 이제는 의심의 여지가 없다. 그것은 자신의 것이고 그것을 할 수 있다.

각기 다른 행위가 의미하는 바를 알아야 한다. 그러면 사고의 의미가 무엇인지 쉽게 해석할 수 있다. 각기 다른 내적 행위를 연습하는 방법으로 6가지 방향을 적용하면, 그러면 곧 자신이 어디에 있고 어떻게 그것이 자신을 위해 작동하도록 할 수 있는지 분명해질 것이다. 내면에서 머리를 위쪽으로 움직인다. '정말 환상적인 생각이다'라고 말한다.

이제 다음 순서에 따라 해보자.

1. 머리가 위로 올라간다. -'정말 환상적인 생각이다'라고 말한다.
2. 왼쪽 눈을 수축한다. -'하지만 그 부분에 대해서는 생각하지 않았다'라고 말한다.
3. 귀가 아래로 떨어진다. -'이제 큰 곤경에 처한다'라고 말한다.

머리 영역을 통해 내적 행위가 일어난다면 무엇이든지 간에 그에 반응할 수 있는 것도 주어진다. 배우는 이 반응을 가지고 연기해야 하고, 다양한 행위가 무엇을 의미하는지 발견하는 재미를 느낄 수 있다. 행위가 암시하는 것은 무엇이든 말한다. 자신이 '사고'에 관여하고 있고, 이를 통해 사고를 연기하고 있다는 것을 알아둔다.

## 12  원형: 심리제스처

심리제스처는 그 자체가 원형적이다. 그것은 매우 크고, 많은 공간을 차지하며, 하나의 통합된 생각으로 결합한다. 심리제스처는 신체의 에너지의 흐름을 생성하는 것이고, 신체에서 나오는 에너지는 인물의 의도이다.

오늘 우리는 인물을 위해 심리제스처를 분해할 것이다. 인물을 찾기 위해 심리제스처를 사용할 것이다. 아주 큰 아이디어, 원초적이고 활기찬 이미지를 사용해 특정한 인물로 가는 길을 찾을 수 있다. 원형은 인물을 발견할 수 있는 최고의 가능성을 가진 방법이다.

원형은 공통적 표준이다. 이미지에 따라 진동한다. 이미지의 에너지는 우리 안에서 진동한다.

앞에서 연습을 통해 에너지와 내적 동작이 민감해졌다. 이제 그것들에 주목한다. 원형을 마주할 때, 즉시 충동을 경험한다는 것을 알아두자. 위아래, 앞뒤, 확장과 수축의 6가지 방향에서 이 충동을 찾는다. 조용히 서서, 이 방향 중 한 방향으로 움직이고 싶은 충동을 기다린다. 몇 가지 원형의 이름을 말하면, 부드럽게 그 단어를 반복한다. 그러면 충동이 와서 자신을 한 방향으로 움직이게 할 것이다. 충동이 위에 있으면 위를 가리키고, 앞에 있으면 앞을 가리킨다. 충동을 수용하고 방향을 인정한다.

— 영웅: 내면의 충동이 어느 방향으로 움직이는가?
— 왕  : 내면의 충동이 어느 방향으로 움직이는가?

— 고아   : 내면의 충동이 어느 방향으로 움직이는가?
— 겁쟁이: 내면의 충동이 어느 방향으로 움직이는가?

충동 반응의 방향으로 걸음을 옮겨 충동을 받아들인다.

— 왕자

— 패자

— 처녀

— 도박꾼

— 어머니

— 마법사

— 전사

— 배신자

— 배우

충동과의 연관성이 있었는가? 충동을 느꼈는가?

배우: 예, 새로운 이미지를 줄 때마다 무언가를 느꼈습니다. 일부 이미지
     에서는 위, 아래처럼 2개의 방향이 혼합되었습니다. 괜찮나요?

그렇다. 바로 그것이다. 방향에 주의를 기울이는 것은 충동을 포착하
고 이미지에 있는 에너지와 연결하는 지름길이다. 그것은 다시 동작이 되
어, 자신에게 말을 건다. 이를 통해 배우는 인물에 대해 많은 것을 빠르게
발견할 수 있다. 원형이 전체적이고 완전한 에너지의 원천이기 때문에 인
물을 하나로 결합시킨다.

주의하자. 배우는 결코 원형을 연기하지 않는다. 그것은 형태를 도출해낸 모델이고, 배우가 먹는 양식이다. 원형은 너무 강력하고, 너무 순수하고, 너무 크기 때문에 원형을 인물로 제시하지는 않는다. 어떤 연극에서는 원형적 인물을 요구할 수도 있고 그래서 그런 방식으로 자신을 표현하는 것은 큰 즐거움이 될 수 있다. 스타일의 문제이다. 그러나 보통의 관객들은 원형의 힘에 빠르게 압도당하고, 그리고 나서 연극은 끝난다. 말하자면, 관객은 돈만 날린 것이다. 이것을 기억하자. 배우는 특정한 상황에서 특정한 인간인 인물을 연기하고 싶어 한다. 원형은 강력하지만 또한 일반적이므로, 접근과 표현에 있어 주의해야 한다.

인물의 원형을 찾을 때, 인물이 아니라 원형을 찾는 것이다. 원형은 인물이 아니라 인물의 의지력일 뿐이다. 원형이 움직이는 방향을 찾는 것은 그 원형에 대한 심리제스처를 찾는 첫 번째 단계이다. 배우는 충동에 따르기 때문에, 이미 제스처가 특정 방향으로 움직일 것을 알고 있다. 이것이 제스처의 85% 정도가 된다. 나머지 15%는 필수 이미지를 형성하고 있다. 여기에 사고는 거의 없다.

원 모양으로 서되, 동작에 영향을 미치지 않도록 서로 멀리 떨어져 자리 잡는다. 제스처를 만드는 것은 배우 자신이다. 원형의 이름을 말하면, 배우는 그것을 부드럽게 반복한다. 그러면 어느 방향으로 움직여야 하는지 알게 된다. 그런 다음 '원-투-쓰리 go'라고 말하면, 배우는 이 이미지를 표현하는 제스처를 한다. 그것은 자신의 제스처이다. 그 제스처를 발견하고 그것에 몰입해야 한다. 다들 준비됐는가?

마녀. 원-투-쓰리 go.

제스처에 만족하는가? 이 제스처에 의해 깨어났는가? 자신에게 무언가를 주는가? 만일 그렇지 않다면, 즉시 중단한다.

이제 바꾸자. 충동 또는 방향으로 돌아간다. 충동이 정확하다는 것은 신뢰할 수 있다. 체홉은 예술가의 충동은 항상 정확하다고 말했다. 그것은 믿어도 된다. 아마도 이미지는 부정확할 수 있고, 제스처가 더 좋을 수 있다. 좋아한다면, 더 좋게 만들어서 연기에 사용하면 된다. 제스처에 몰두해라. 우리가 진정으로 원하는 것은 제스처이므로, 제스처를 찾는 데 도움이 되도록 원형의 이름을 말하는 것이다.

이제 추가로 더 살펴보자. 원 모양으로 서면 모두가 서로 마주 보게 된다. 원-투-쓰리 go. 무슨 일이 일어났는지 주위를 둘러보자.

배우들의 제스처가 거의 비슷하다는 것은 매우 흥미롭다. 마녀의 제스처이다. 마녀는 우리 안에 산다. 우리는 그것을 형태로 인식한다. 보편적이다. 이것이 원형이 작용하는 방식이다. 그리고 비슷한 제스처라고는 하지만, 아주 조금씩 다르다. 이것이 배우의 개성을 보여주는 증거이다. 그러나 기본적으로 손과 머리를 사용하는 방향은 같다. 따라서 제스처를 찾는 것은 그리 어렵지 않다. 기본적으로 배우에게 주어지며 어떤 식으로든 배우를 흥분시킨다.

원형과 함께 하는 연습의 핵심은 원형의 의지력을 경험하는 것이다. 인물은 의지의 성질을 가지게 된다. 의지력의 표현과 이해에 대해 살펴보자. 제스처는 우리를 원형으로 이끌고, 원형은 또한 우리를 제스처로 인도한다. 공간을 향해 제스처를 세 번 하고, 발산한다. 어깨뼈에 있는 새로운 눈으로 바라본다. '나는 존재한다'라고 말한다. 이제 제스처를 내적 동작으로 만든다. 충동에 따른다. 이 심리제스처는 의지력의 결정체이다.

이 제스처에 의해 깨어났는가? 그것은 자신에게 무언가를 주는가? 그렇지 않다면, 즉시 중단한다. 이것은 인물이 아니다. 원형이다. 심리제스처는 원형의 본질을 표현한 것이다.

도박꾼의 심리제스처를 찾아보자. 도박꾼에게 있어 기본적이고 본질적인 것은 무엇인가?

배우: 가장 먼저 떠오르는 것은 카드가 놓인 탁자입니다.

너는 지금 이야기를 만들고 있다. 심리제스처는 설명이나 이야기가 아니며, 아직 연기를 하는 것은 아니다.

배우: 도박꾼은 돈이 들어오길 원하죠.

우리는 모두 돈을 원하고, 돈이 들어오기를 원한다. 도박꾼의 제스처는 그것보다 조금 더 특별하고 구체적이다. '나는 원한다' 제스처를 시도해보자. 그것이 맞는가?

그것은 탐욕이 아니다. 물론 배우가 자신의 제스처에서 많은 것을 얻을 것이라고 확신하지만, 지금은 구두쇠가 아닌 도박꾼의 의지력을 찾고있다. 비록 일부가 탐욕스럽지만 모든 도박꾼이 반드시 탐욕스러운 것은 아니다. 도박꾼의 본질은 위험을 감수하는 것이다. 위험 감수의 본질은 무엇인가? 우리는 도박꾼이 아니라 가능한 가장 높은 형태인 원형에 관해 이야기하고 있다. 배우의 제스처가 탐욕을 표현한다면 그것은 위험을 표현하지 않은 것이다. 도박꾼의 제스처의 목적은 위험을 감수할 수 있도록 배우에게 흥분을 일으키는 것이다. 제스처는 이제 '나는 존재한다'라고 말한다. 이 존재하는 제스처를 어떻게 하면 자신 안에서 위험을 불러일으키는 제스처로 만들 수 있는가?

신체가 제스처를 만들기 때문에, 신체에서 위험을 경험해야 한다. 사람들이 절벽에 매달려 있는 상황을 상상하여, 한 발로 불안하게 서 있는 제스처를 만들면, 위험을 경험할 수도 있을지 모른다. 제스처를 발견하면, 제스처를 느낄 것이기 때문에, 배우는 제스처를 알게 될 것이다. 의지의 특정한 성질이 제스처에 의해 깨어난다.

배우: 의지의 성질은 무엇을 의미하나요?

그것은 어떻게 행위를 하는가를 의미한다.
여기 또 다른 원형인 노예가 있다.
자신에게 물어보자. 무엇이 노예에게 필수적인가?

배우1: 자유의 부족
배우2: 억압
배우3: 투쟁
배우4: 포로

맞다. 모두 사실이지만 본질은 무엇인가? 노예의 본질은 자신의 의지에 반하여 봉사하는 것이다. 부인할 수 없는 본질은 그것이다. 기꺼이 섬기는 하인과는 다르다. 항상 본질이 무엇인지 질문해야 한다.

제스처를 탐색할 때는 계속 발로 서 있자. 우리는 인간의 형태로 연습하고 있다. 이미 논의했듯이, 인간과 동물의 큰 차이점은 인간이 두 발로 서 있다는 것이다. 또한 일어선 상태라면 제스처에서 벗어나기가 더 쉽다. 어깨뼈에 새로운 눈을 달고 멀리 걸어가서 제스처를 돌아볼 수 있다. 제스처를 그대로 남겨두고 진동만 가져간다. 그것은 직접적인 지식이 되고 진정한 지식은 신체로 들어온다.

전사의 본질은 무엇인가?

배우1: 두려움 없는 것?
배우2: 힘!
배우3: 용감함, 용기?

이것은 성질이다. 본질이 아니다. 아버지는 용감하고 강하다. 영웅은 용감하고 강하다. 창녀도 용감하고 강하다. 다른 방법으로 살펴보자. 전사의 행위를 찾아본다. 원형은 행위와 관련이 있고, 인물의 의지이고 아주 구체적인 의지의 성질이다. 전사는 무엇을 하는가? 전사는 무엇을 하는 사람인가?

배우: 싸우는 사람인가요?

맞다. 물론 가장 단순한 것이다. 단순하면 더 좋다. '단순함이 최고이다'라는 말을 좌우명으로 삼을 수 있다.

배우: 인물의 원형은 어떻게 선택합니까?

실행한 행위를 통해서이다. 아리스토텔레스는 '사람의 성격은 그의 행위의 총합이다'라고 말했다. 그래서 자신이 참여하는 연극 대본을 읽고, 극중 인물이 행하는 사실적 행위를 적는다. 그것은 분석이 아니라, 극작가가 제시한 사실을 정리하여 재구성하는 것이다. 목록이 있으면, 이러한 행위들을 연결하는 공통주제를 만들어 구별할 수 있다. 그런 다음에 누가 이러한 일을 하는지 질문해본다. 어떤 원형이 이 모든 행위를 하는가? 연역적 활동이지만 시간이 오래 걸리지 않는다. 몇 가지 질문만 해도 많은 것을 알 수 있다.

어떤 의미에서는, 제스처가 배우를 자석으로 만들어 인물의 세계에 속한 모든 것들을 배우에게 달라붙게 하는 것이다. 주변의 아주 작은 것들도 배우의 연기와 특별한 관련이 있다. 제스처는 사물을 하나로 묶는다. 올바른 제스처는 항상 인물에 더 가까이 다가간다.

인물은 원형에 의해 이끌려가고 있다는 것을 전혀 모른다. 배우들도 각자 원형에 의해 인도되고 있지만 그것이 무엇인지 모른다. 그것은 다음과 같이 설명할 수 있다. 인생에서 어느 날 특별한 선택을 했고, 그것이 끝났을 때 자신이 할 수 있는 최선의 선택이 아니라는 것을 알았기 때문에, 그래서 결코 다시는 그렇게 하지 않을 것이라고 스스로 다짐한다. 그러나 언젠가 비슷한 상황에서 같은 선택을 반복하고, 그것이 최선의 선택이 아니라는 것을 알게 되고, 그것을 다시는 하지 않겠다고 자신에게 말한다. 그러나 나중에 또 그렇게 한다. 이것이 배우를 이끄는 원형이다. 그것은 배우들이 따르는 일종의 각인이지만 배우는 그것을 의식하지 못한다. 원형은 배우의 의지를 지시한다. 물론 때로는 이러한 원형의 선택이 훌륭하고 완벽한 것이 될 수 있다. 선택은 배우의 존재를 누군가와 일치하게 한다.

인물이 원하는 것은 원형과는 아무 상관이 없다. 원형은 인물이 하는 것이다. 나는 방법이 잘못되기는 했지만, 히틀러도 세계를 구하고 싶어 했다고 생각한다. 그는 영웅의 원형에 자신을 대입했을지 모른다. 그러나 영웅은 그를 이끈 원형도 아니고 그를 드러내는 원형도 아니다.

〈로미오와 줄리엣〉의 로미오를 살펴보자. 무엇이 로미오의 원형이라고 생각하는가?

배우: 애인?

왜 그런가? 로미오가 줄리엣을 사랑하기 때문인가? 줄리엣이 로미오를 사랑하기 때문인가? 이것이 사실일 수도 있지만, 우리는 로미오의 행위를 살펴봐야 한다. 행위를 살펴봄으로써 일정한 패턴을 가진 행위 목록을 작성할 수 있고, 인물에 대한 개요를 가질 수 있으므로 풍부한 방식으로 연극을 시작할 수 있다. 전체의 느낌이 작동한다. 그러니 로미오의 행위를 살펴보고 그것들이 무엇을 드러내는지 알아보자.

로미오의 행위는 다음과 같이 진행된다.


— 사랑에 대해 불평한다.

— 파티에 간다—실제로 충돌한다—위험한 행동.

— 줄리엣에게 열광하고 줄리엣이 캐퓰렛 가문임을 알게 된다.

— 어쨌든 사랑을 추구한다. 줄리엣의 집으로 돌아온다.

— 줄리엣의 집 벽을 기어오른다.

— 다른 벽에 올라 줄리엣에 대한 사랑을 고백하고 키스한다.

— 유모를 만나고, 유모는 그의 의도가 훌륭하다고 말한다.

— 결혼을 준비한다.

— 결혼한다.

— 줄리엣의 사촌을 죽인다.

— 줄리엣과 사랑을 나눈다.

— 추방된다.

— 추방에서 돌아온다.

— 패리스를 죽인다.

— 줄리엣의 주검을 본다.

— 자살한다.


이것은 연극에서 로미오가 행한 실제 행위들이다. 이제 이러한 행위를 통해 구별해낸 맥락이 원형이 된다. 지금 물어볼 질문은 이 모든 것을 어떤 사람이 하는가이다.


배우: 성급한 사람이 그런 일을 할 거예요.

그렇다. 이것은 사실이다. 그러나 다시 말하지만 이것은 원형의 성질이다. 성급한 것 자체로는 진동이 없다. 그러나 성질은 '어떤 종류의 사람들이 성급한가요?'라는 질문을 할 수 있어서 유용하다.

배우: 아이들이 성급합니다.

하지만 로미오가 어린아이라고 생각하는가?

배우: 아니에요.

'아니다'라고 하는 직감에 의지할 수 있으니, 계속할 수 있다.

배우: 바보가 성급하게 행동합니다.

바보. 어떻게 느끼는가?

배우: 아주 좋아요. 바보가 맞는 것 같아요.

행위를 보자. 바보가 이런 일을 하겠는가? 바보가 이런 일을 할 것도 같기도 하다.
그러면 로미오가 바보인가? 도박꾼인가? 반역자인가?
배우는 인물에 가장 알맞은 심리제스처를 선택한다. 바보는 로미오의 행위들과 가장 일치하는 것 같다. 바보의 본성은 젊고 성급하다. '현자가 밟기를 두려워하는 곳에 바보들이 달려든다.' 바보는 실수하는 사람이다.

배우: 그가 바보라는 것을 모르고 어떻게 바보의 원형을 연기할 수 있나요?

바보도 그가 바보라는 것을 모른다. 어쨌든 배우는 원형을 연기하지는 않는다. 원형은 조금 비현실적이기 때문에 무대 위의 원형을 보면 금방 지루해진다. 배우는 원형에서 정보를 얻으려고 한다. 의지가 어떻게 영향을 받는지, 그것이 배우가 원하는 것이다. 그것이 에너지이고 에너지가 배우를 통해 어떻게 연기되는지가 가치 있다. 원형은 인물이 움직이는 방법이다.

이성적인 지성으로 원형을 분석하면 힘이 약해진다. 바보의 심리제스처를 만든다. 그냥 멀어져서는 안 된다. 심리제스처가 자신을 채우게 한다. 제스처를 할 때 공간을 차지한다. 원형 안에 살고 있는 의지의 성질을 이용할 방법을 모색한다.

생명체만으로도 심리제스처를 할 수 있다. 생명체는 단지 힘일 뿐이므로 두려워할 필요가 없다. 우리는 이 힘을 원한다. 인물이 아니다. 제스처가 제공하는 힘을 완전히 받아들인다.

자신 안에 무언가가 살고 있는가?

배우: 생명체의 힘이 아주 매혹적으로 느껴져요.

이 제스처가 자신이 흥분하고 싶은 방향으로 흥분시키는가? 이것이 가장 먼저 하는 질문이다. 그렇지 않으면 중단하고, 다른 제스처로 간다. 신체를 움직여, 가능한 한 많은 공간을 차지한다.

원형은 분석해야 할 것이 아니다. 그것은 배우가 특정한 인물로 창조할 때까지 그냥 존재하는 것이다. 원형에 대해 우리가 말할 수 있는 것은 '그것은 존재한다'이다.

언젠가 어느 배우를 가르치고 있었다. 그는 아프리카계 미국인이다. 내가 노예의 이미지를 표현해보라고 얘기를 꺼냈을 때, 그는 그냥 바닥에 쓰러져 눈물을 흘렸다. 이 청년에 대해 특별하게 공감하는 아주 강렬한 이미지였다. 표현이 너무 강렬해서, 그 이미지에서 벗어나는 데 많은 시간이 걸렸다. 그러나 그는 '그것은 존재한다'라고 객관적으로 말하는 데 어려움을 겪었던 것 같다. 원형을 찾지 않고 자신의 사적 감정으로 연기했다고 본다. 노예 제도는 비난받아 마땅하고, 그가 이것을 강하게 느끼리라는 것은 당연한 이치이지만, 그는 노예가 무엇인지에 대한 원형을 보지 못했다. 노예는 자신의 의지에 반하여 봉사하는 사람이다. 햄릿은 아버지를 섬기는 노예이다. 그는 아버지를 섬겨야 하지만, 그렇게 할 의지가 없다. 연극에서 그는 왕자이지만 의지 면에서는 노예이다. 흥미롭지 않은가? 햄릿을 감독하거나 연기한다면 그렇게 할 것 같다. 우리가 단어나 충동으로만 판단하지 않는다면, 자유롭게 연기할 수 있다.

다시 서로 떨어져서 다른 것을 시도해보자.

영웅. 원-투-쓰리 go. 최대한으로 신체를 사용한다. 신체가 하나가 되어 움직이되 신체의 모든 부분이 움직이게 한다. 예술적 구조를 기억하자. 제스처를 찾으면 3번 반복한다. 자신에게 아름다운 제스처가 되도록 제스처를 창조한다.

영웅은 어떠한가? 마녀와 다른가? 자신에게 도움이 될 만한 것이 있었는가?

영웅은 누구인가?

배우: 구해주는 사람입니다.

그것은 구세주이다.

배우: 해결해주는 사람 아닌가요?

그것은 해결사이다.

배우: 용감한 사람.

용감한 사람은 성질을 정의하는 것이다. 명심하자. 영웅은 모험이나 탐험의 여정을 떠나는 사람이다. 문화적으로나 역사적으로 살펴보면, 우리는 영웅이라고 부르는 사람을 안다. 우리는 '나는 할 수 없다'라고 말하는 사람을 본다. 그가 길을 알려주는 훌륭한 선생님을 만난다면 그다음에는 '나는 할 수 있다, 내가 책임지겠다'라고 말할 수 있다. 반드시 성공할 필요는 없다. 그것은 의지의 성질이다.

영웅의 제스처를 살펴보자. 원–투–쓰리 go. 배우들의 제스처 속에서 전체적인 유사점을 다시 확인할 수 있다. 영웅의 충동은 신체를 앞으로, 위로 나아가게 한다. 팔, 손, 머리 심지어 다리까지도 이 방향으로 움직인다. 이것은 이 원형에 관한 집단적이고 무의식적인 합의이다.

배우: 저의 제스처가 아직 마음에 들지 않아요.

더 큰 발길질, 더 확실한 제스처를 원하는가? 욕심부리지 않아도 된다. 자신이 앞과 위로 나아가고 있다는 것을 안다면, 그것만으로도 확실한 출발점이 될 수 있다.

이제 자신에게 '나는 패배의 느낌을 경험하고 싶다'라고 말한다. 이 간단한 명령으로 자신 안에서 어떠한 하강이 시작될 것이다. 하강이 일어나면, 영웅의 제스처를 취하여 자신 안에서 어떠한 변화가 일어나는지 확인한다. 그 감각이 신체 안에서 움직이면 제스처를 만든다. 발산한다. 걷는다. 새로운 눈으로 제스처를 바라본다. 반복한다.

패배의 감각으로 내적 동작은 내려가지만, 원형의 행위는 앞과 위로 향한다. 이 감각으로 영웅 원형은 더 구체적으로 되고 인물에 가까워진다. 상식적으로 보면 함께 갈 수 없는 영웅과 패배의 감각을 결합할 수 있다. 예를 들어 연극에서 인물의 의지가 영웅이라는 것을 발견했지만, 이 영웅이 대사 내내 실패하거나 모험을 수행하는 것을 완전히 꺼리는 인물일 수도 있다. 우리는 이 연습 과정을 통해 복합적인 인물도 존재할 수 있다는 생각에 도달할 수 있다. 우리에게 다가온 복잡한 것들을 간단한 방법으로 연기할 수 있다.

『Lessons for the Professional Actor』라는 책에서 체홉은 심리제스처와 원형이 같다고 말한다.

우리는 원형보다는 심리제스처에 더 관심이 많다. 심리제스처는 '테크닉연기'의 꽃이다. 다재다능한 도구이다. 그것은 배우에게 연극의 순간 또는 장면, 행위, 인물 그리고 전체 연극을 드러내 보여줄 수 있다. 사물을 통합하는 방법이다. 이 원형 제스처는 '나는 존재한다'라고 말하면서 행한 행위의 융합이다.

체홉은 자신의 테크닉이 다른 연기방법들과 다르다고 한다. 다른 연기방법들은 분석하는 것을 가르치는데, 분석은 무언가를 분해하는 것을 의미한다. 그래서 배우는 매일 분해된 많은 조각과 싸워야 한다. 체홉의 테크닉은 배우가 합성하거나, 사물을 하나로 묶어 수많은 것을 하나로 결합하게 도와준다. 어떤 배우들은 분석에 강하게 매료당한다. '와우 이것은 아주 좋은 작업이고 너무 흥미롭다. 내 두뇌로 일하고 있고 그래서 깊이 몰두하고 있다고 느낀다.' 하지만 정말로 육체적으로 활발하지도 않고, 연기를 하는 것도 아니다. 체홉의 테크닉은 다른 무엇보다도 단순하다. 그러나 처음에는 단순함이 그 효과를 발휘하도록 하기 어려울 수도 있다.

얼굴을 하늘로 향하게 하고 손바닥도 위로 향하게 하여 열기 제스처를 만든다. 이 제스처를 만드는 느낌이 어떤가? 이제 반대로 한다. 얼굴을 아래로 향하게 하고 손은 땅을 향해 약간 앞으로 구부린 채로 연다. 차이점은 무엇인가?

얼굴, 가슴, 손은 수용성 기관이라고 부를 수 있다. 우리가 모든 것을 위로 향하게 하여 무언가를 받고 있다면, 위로부터 받고 있는 것이다. 문화적으로 우리는 천국, 선한 것, 옳은 것, 신 등은 위에서 나온다고 믿게 되었다. 또한 악마, 악, 지옥 등은 아래에서 온다고 믿는다. 신을 믿든 무신론자이든 무엇이든 상관없다.

사람들은 여전히 이러한 신체적, 문화적 지식을 가지고 있지만, 그것은 아주 오래된 고정관념이다. 그래서 우리가 손을 이쪽 또는 저쪽으로 벌릴 때, 가슴과 얼굴을 여기 또는 저기에 놓을 때, 우리는 어떤 것들을 받는다고 기대한다. 그러나 이런 것에 의존하지 않아도 우리는 정말로 제스처의 결과를 통제할 수 있고, 분석적 지성을 사용해 허우적대는 일을 방지할 수 있다. 우리가 찾는 것으로 바로 갈 수 있다.

배우: 완성된 원형 목록이 있나요?

나도 정확히 모른다. 그러나 그리스와 로마의 신화적 인물, 성경 속의 인물, 타로 카드, 12궁도 별자리, 그림 형제의 동화, 고대 인도의 서사시, 아프리카 또는 아메리카 원주민의 민속 이야기에서 원형을 찾을 수 있다. 이것들은 원형으로 가득 차 있는, 원형의 근원이며, 수천 년 동안 살아남은 오래된 문학과 신비한 과학에서 나왔다. 그것들이 살아남은 이유는 울림의 힘이다. 동요나 감동을 주지 않는 것은 사라진다. 이러한 원형은 우리 모두를 위해 마음속에서 진동한다.

배우: 에번에 대해 그렇게 깊이 생각하지는 않았지만 에번의 원형이 반역자라는 생각이 번개처럼 떠올랐습니다. 이것이 원형인가요?

그렇다. 안티고네 같은 반역자이다. 그런 생각이 번개처럼 순식간에 찾아왔다니 좋은 징조이다. 이성이 아니라 직감으로 온 것이다. 이제 이런 생각을 얻었으니 어떻게 안착시킬 것인가? 우리는 크게 울려 퍼질 내면의 종을 찾고 있다. 밋밋하다면 그냥 넘어가자. 우리의 선택에 흥분하고 싶어 한다. 그런 의미에서 에번의 원형으로 반역자는 좋은 생각 같다. 그는 사물을 인식하거나 수용하는 방식에 변화를 주기 위해 항상 노력하고 있다. 그는 처음부터 현상 유지에 반대한다. 반역자는 좋은 선택이고, 적어도 시작하기에는 좋은 지점 같다. 원형을 찾는 것이 얼마나 쉬운지 알 수 있다. 자신에게 열심히 질문하면 결국 해답이 나온다.

에번의 원형 때문에 우리가 여기까지 왔으니, 애비에 대한 이미지를 가진 사람이 있는가?

배우: 그녀는 캐벗 가문에 들어와서 모든 집안일을 하고 두 남자를 돌봅니다. 그녀가 어머니가 될 수 있나요?

바로 물어보겠다. 그것이 자신 안에서 종소리를 울리는가? 애비를 연기할 자신에게 그 이미지는 어떻게 울려 퍼지는가?

배우1: 종소리는 없습니다. 그냥 추측이에요.
배우2: 저는 그녀가 어머니라고 생각하지 않습니다. 아기를 죽이는 행동을 하는데 그것은 어머니가 되는 것과는 정반대입니다. 그것은 진정한 어머니가 아니라 메데이아와 같아요.

그녀의 행위를 보아야 한다. 나도 어머니가 아니라는 데는 동의한다. 그녀는 무엇을 했는가?

배우: 그녀는 모든 것을 가질 의도로 거기에 왔어요. 농장, 돈, 남자, 심지어 아들까지. 그녀는 그것을 빼앗아야만 얻을 수 있어요. 그것은 그녀의 것이 아니기 때문이죠.

그렇다면 누가 그런 일을 하는가? 어떤 사람이 그런 일을 하는가?

배우: 도둑. 그것이 애비의 원형이네요. 그것이 너무 크게 다가와서 말하는 것만으로도 진동을 느낍니다.

종소리를 느꼈는가? 충격? 그 이미지를 가지고 연기하고 싶은 욕망이 있는가?

배우: 네.

그러면 인물에 대해 살펴보기 시작할 지점을 찾았다. 그 원형에 최종적으로 정착하지 않아도 된다. 리허설 과정에서 공연 내용에 대한 이해가 증가하면 변경할 수도 있다. 그러나 최소한 인물에 대해 분석적이거나 개인적이지 않은 시작점, 보는 관점을 가진 것이고 자신도 인물에 대해 뭔가 알고 있다고 느끼게 된다. 무슨 일이 일어나는지 확인해본다.

여기에 중심을 추가하면 인물에 더 가까워진다. 신체 제스처로 돌아가자. 반역자와 도둑의 2가지 원형에 대한 제스처를 찾는다. 이제 원형에 대해 동일한 제스처를 만들고 가슴, 골반, 머리 등 특정 위치에서 제스처를 이동하기 시작한다. 가상의 중심과 가상의 신체를 사용해 원형의 의지력을 쏟아부을 그릇을 만들 수 있다. 통합에 추가되는 모든 새로운 정보는 원형을 인물로 더욱더 구체화할 것이다.

우리는 이미 애비가 사고 유형이라고 말했다. 그녀에 관한 이전의 탐색에서 발견한 막대기의 성질을 이용해 도둑의 제스처를 사고 유형으로 만들자. 원형과 유형의 통합은 아주 유용한 작업이고, 자신이 원형을 위해 찾은 제스처를 더욱 명확하게 보여줄 것이다.

## 13  가상의 신체

체홉이 러시아에서 이주한 지 몇 년 후, 어느 날 베를린의 한 카페에서 스타니슬라브스키와 만난 일화이다. 그들은 캐릭터에 대해 긴 대화를 나눴지만, 배우가 어떻게 캐릭터에 접근해야 하는지에 대해서는 의견이 일치하지 않았다. 스타니슬라브스키는 캐릭터가 배우 앞에 있으며 배우가 이 캐릭터를 자신을 향해 끌어당겨, 캐릭터를 배우와 하나가 되도록 변형시켜야 한다고 말했다. 체홉은 캐릭터가 배우 앞에 있다는 데는 동의했지만, 배우가 캐릭터 쪽으로 자신을 움직여 캐릭터로 변신해야 한다고 믿었다. 두 접근방식 사이의 중요한 차이점은, 배우가 스타니슬라브스키가 제안한 대로 연기한다면, 배우의 자아가 캐릭터를 지배하게 된다는 사실이다. 이것은 결국 캐릭터가 해결해야 할 약간의 문제를 안겨준다.

그러나 체홉이 제안한 접근방식은 캐릭터의 자아가 배우의 자아를 지배하기 때문에 그러한 많은 문제로부터 배우를 자유롭게 한다. 작가가

요구하는 것을 쉽게 할 수 있다. 캐릭터가 되는 한 가지 방법은 배우의 신체를 캐릭터의 신체로 바꾸는 것이다. 불가능하게 들리지만 그렇지 않다. 이미 우리는 자신의 생명체로 많은 것을 달성했고, 다시 한번 우리가 변화하는 데 필요한 것을 생명체로 할 수 있다. 배우의 목이 실제보다 두 배 길다고 상상해보자. 신체를 물리적으로 늘릴 수는 없다. 배우가 해야 할 일은 생명체의 목을 조정하여 정상적인 길이의 두 배라고 상상하는 것이다. 보시다시피 아주 쉽다. 그것은 에너지의 변화이지만, 자신에 대해 느끼는 감정을 변화시킨다. 자신의 심리를 변화시킨다. 어떻게 변했는지 말할 수 있는가?

배우: 긴 목이 재미있게 느껴집니다.

그것이 말할 수 있는 전부인가?

배우1: 저는 긴 목이 조금 냉담하거나 거만하다고 느꼈어요.
배우2: 긴 목 때문에 노력하는 것을 귀찮게 여길 것 같아서, 조금 게으르게 느껴집니다.

한순간에 세계에 대한 자신의 전체 관점과 세계와 연결하는 방법을 바꾼 것이니 아주 좋다. 이것은 긴 목을 가진 사람의 심리이다. 이제 심리와 신체가 어떻게 연결되어 있는지, 그것이 하나라는 것을 이해하기 시작했다.
긴 목은 내면의 신체이고 내면의 목이다. 그것은 가상의 신체이다. 내면의 변화에 대한 공감을 제외하고는 육체적인 변화는 전혀 없다. 만약 강제로 목을 늘리는 물리적인 변화를 해야 한다면, 배우는 피로와 긴장 때문에 지쳐 쓰러진다. 그러나 실제로 육체를 바꾸는 것은 불가능하다. 비밀로

하자. 가상의 신체는 금이다. 그런데 문제는 배우가 금을 다른 사람에게 보여주면, 그것을 훔치려 한다는 것이다. 그래서 혼자 가상의 신체와 함께 사는 것이다. 거기에 가상의 신체가 있다는 것만 알아두자.

'내가 가상의 신체를 가지고 있고, 가상의 신체가 나를 지지하리라는 것을 안다.' 그것이 집중이다. 그것은 생명체에게서 오는 것이며 영감을 준다. 멋지지 않은가? 이것은 자신도 아니고, 자신의 정상적인 자아도 아니다. '그것이 존재한다'라고 말하면 그것이 거기에 있는 것이다. 가끔 캐릭터가 어떻게 생겼는지 볼 수 있으므로, 해당 이미지를 통합하고 그것이 거기에 있도록 내버려 둔다.

신체로부터 영감을 얻고 있는가? 훌륭하다. 이미지가 배우를 붙잡아야 한다. 배우가 이미지를 잡으면 뻣뻣해 보인다. 이미지가 배우를 사로잡는다면, 배우는 자유로워지고, 이미지가 배우를 이끌고 배우의 재능은 이미지를 따라간다.

손이 섬세한 수정 유리로 만들어졌다고 상상해보자. 그것이 손이라는 것을 기억하자. 따라서 비록 이미지가 수정 유리이지만, 손의 용도로 사용해야 한다. 유리 손으로 주머니에 있는 공을 던지고 받아보자. 유리 손으로 어떻게 잡는가? 다른 사람과 인사할 때처럼 악수한다. 빠르게 누군가에게 물건 하나를 건네주고, 얼굴을 만지고, 셔츠 단추를 누른다. 손으로 할 수 있는 많은 일을 해보자.

긴 목과 유리 손의 이미지를 버린다. 이제 목의 길이가 1인치라고 상상해보자. 사실상 목이 없다고 상상한다. 이제 어떻게 고개를 돌릴 것인가? 뒤를 보거나 하늘을 보려면 어떻게 해야 하는가?

이 목을 편안하게 느낄 때, 손을 바꾼다. 매우 작은 소시지처럼 손가락이 매우 짧고 뭉툭하다고 상상하자. 손으로 캐치볼을 하고 다양한 것을 한다.

이제 발이 매우 크다고 상상한다. 발이 그렇게 되도록 허용한다. 얼마나 큰지 보여주지는 않아도 된다. 이 큰 발을 사용해 그냥 걸어본다. 큰 발로 신중하게 행동하면 다른 사람으로 변신하는 것이 얼마나 쉬운지 알게 될 것이다. 눈에 보이면 그대로 바꿀 수 있다. 신체의 어느 부분이든 변할 수 있고, 그것이 자신을 변화시킬 것이다.

우리는 새로운 심리를 찾고 있으며 그 방법은 신체를 통해서이다.

## 14 분위기

이제 우리는 분위기에 대해 연습하고, 공간을 움직일 수 있는지 살펴볼 것이다. 오직 체홉만이 리허설과 공연에서 분위기가 배우를 이끌 수 있다고 이야기한다. 극작가는 때때로 연극의 장면을 묘사하기 위해 분위기에 의존한다. 그러나 배우와 연출은 극작가가 제공하는 이러한 신호를 무시한다. 분위기는 '어떻게'를 사용해 연극에 접근할 수 있는 또 다른 방법이다. 분위기는 배우 주위에 있는 공간, 배우가 차지하고 있는 공간을 의미한다. 배우는 일정한 부분의 공간을 관리할 수 있다. 배우는 신체 주위의 바로 가까이 있는 공간에서 연기할 수 있다. 배우는 이미 공간과 접촉하고 있다.

상대 배우에게 다가가 그 사람 옆에 서 있는 것이 사회적으로 편안하다고 느끼는 거리에서 멈춘다. 이것이 배우가 느낄 수 있는 공간의 범위이다. 느껴지면, 멈춘다.

공간을 조금 넘어 아주 가까이 다가가서 사회적 불편함 속에 있는 것이 어떤 것인지 느껴본다.

다시 편안함을 느끼는 가능한 한 가장 가까운 곳으로 되돌아간다.

손을 부드럽게 만진다. 팔과 손을 그대로 두고, 한두 걸음 뒤로 물러선다. 이제 손이 몸에서 일정한 거리에 떨어져 있다. 손이 거품 방울의 얇은 막에 부드럽게 놓여 있다고 상상한다. 자신은 거품 안에 있고 거품이 둘러싸고 있다. 그 한가운데 서 있다.

손을 사용해 거품, 즉 배우가 느낄 수 있는 공간의 범위를 정한다. 거기 그대로 서서 자신의 뒤에 있는 거품을 의식하려고 노력한다. 배우 자신도 3차원이고 거품도 3차원이다.

주변을 걸어 다니며 거품을 인식하면, 걸을 때마다 거품이 다가올 것이고, 배우는 항상 거품 안쪽에, 거품의 한가운데 서 있을 것이다. 다른 사람들의 거품과 충돌한다. 부드럽게 튕겨 나간다.

이제 상대 배우와 서로 격리된, 자신의 거품 안에 선다. 두 손을 가슴까지 가져와서 자신의 손이 달팽이 더듬이인 것처럼 손을 뻗는다. 눈을 감고 손을 뻗어 가상의 거품 막과 만난다. 더듬이를 길게 뻗은 달팽이처럼 손을 멀리 움직인다.

거품 막과 접촉할 때, 접촉의 순간에 놀란 달팽이처럼, 자신의 달팽이 더듬이 손을 뒤로 당긴다. 여기서 접촉의 순간은 배우 자신이 집중해야 할 순간이다. 접촉 반응을 전기로 만든다. 예상하지 못한 무언가를 만지는 찌릿찌릿한 놀라움과 같다. 거품 막과의 접촉 순간에, 짜릿한 흥분이 있다. 그것은 순간적 확장이고, 손을 가슴 앞으로 당기면 수축이다. 동작은 부드럽다. 순간은 민감하다.

거품의 한가운데서 자신을 느껴본다. 거품 안의 공간이 배우가 연기할 공간이다. 자신이 호흡하고 있다는 사실을 인식한다. 호흡을 위해 아무것도 변경할 필요가 없다. 그냥 자신이 숨을 들이쉬고 내쉰다는 사실만 인식한다. 깨끗한 공기를 마시고 있다.

여기저기로 움직이되, 가는 곳이 어디든지 간에 거품을 지니고 다닌다는 것을 깨닫는다.

이제 거품이 배우에게 어떤 영향을 주는지 알아보기 위해 거품 방울을 무언가로 채울 것이다. 거품 안의 공기가 인간의 오줌 냄새로 가득 차 있다고 상상한다. 이 악취는 거품 막 안에 있기 때문에, 배우는 그 냄새를 피할 수도 없다. 계속 호흡한다. 몸에 무슨 일이 일어나고 있는지 주의를 기울인다. 이 냄새에 대한 상상이 자신의 동작에 어떤 영향을 미치는가? 이러한 동작이 주변 세계와의 관계에 어떤 영향을 미치는가? 서로 이야기 하되, 오줌에 대해서는 말하지 않는다. 악취를 상상하는 동안 웃을 수 있 었는지 확인한다. 웃음은 어떤 영향을 받는가? 거품 속의 '분위기'를 받아 들이고 거품과 함께 머무른다. 악취가 진동하지만, 지금, 이 순간 상황이 그렇다. 자신의 주의를 끌 수 있는 다양한 행위를 찾는다.

분위기가 자신을 만지도록 하자. 숨을 쉬고 있는가? 호흡이 바뀌었는 가? 배우가 원하는 만큼 계속할 수 있고 배우가 선택하면 끝낼 수도 있다.

이제 오줌 냄새가 나지 않게 한다. 진짜 깨끗한 공기로 되돌아온다. 계속 숨 쉰다. 지금 신체가 어떻게 느끼는지, 그리고 신체가 다르게 느끼 는 것 때문에 외부 세계와의 관계가 어떻게 변했는지 주목한다.

이제 거품 속의 공기가 라일락 향기로 가득 찰 것이다. 계속 숨 쉰다. 라일락 향기를 들이마신다. 이 새로운 향기가 거품을 채우는 것을 상상하 자마자, 신체에 어떤 일이 일어나는지 주목한다. 벗어날 수 없다. 라일락 향기는 들이마시는 모든 호흡 속에 있다. 서로 이야기하되, 라일락에 대해 서는 말하지 않는다. 신체에 무슨 일이 일어나고 있는가? 웃는다. 지금 웃 으면 어떤가? 주의를 끌 수 있는 다양한 행위를 찾는다. 분위기가 자신을 만지도록 하자. 신체를 계속 확인한다.

이 상상으로 계속 가보자. 이제 공기는 라일락 향기 없는 진짜 깨끗 한 공기로 돌아온다. 신체에 주의를 기울인다. 향기로 둘러싸인 공간이 바 뀌었다. 그 결과 어떤 일이 일어났는가?

이제 아주 두꺼운 먼지로 공간을 채운다. 먼지를 일으키기 위해 배우가 할 것은 아무것도 없다. 그것은 무언극이 아니라, 배우가 추구하는 심리의 변화이다. 먼지를 보여주는 것이 아니라, 먼지와 함께 머무는 것이다. 기침도 먼지를 일으키는 행위와 같다. 이러한 행위는 먼지가 공기 중에 있다는 것을 보여준다. 그것을 느끼기만 하면 된다.

끔찍하게 두꺼운 먼지에 대한 상상이다. 피할 수 없다. 신체는 어떻게 반응하는가? 서로 이야기 하는 내내 먼지로 가득 찬 공기를 들이마신다. 웃는다. 이 웃음이 앞의 웃음과 다른가? 주의를 기울일 수 있는 다양한 행위를 찾는다. 분위기가 자신을 만지도록 하자. 신체를 계속 확인한다. 서로 즉흥연기를 한다. 모두가 이 분위기를 공유하고 있다. 모두가 동의한 것이다.

이제 하던 것을 중지하고, 진짜 깨끗한 공기를 호흡하기 위해 되돌아간다. 잠시 얘기할 수 있게 의자에 앉는다.

우리가 방금 했던 연습 즉 오줌, 라일락, 먼지를 역탐지한다. 공간이 움직일 수 있었다면, 어느 방향으로 움직였겠는가? 동작은 거품 안에 서 있는 자신과 관련이 있다. 색다른 질문 하나 해보자. 해답은 자신의 상상을 사용해야 한다. 모두가 오줌에 반응했기 때문에, 금방 기억력이 도와줄 것이다. 거품이 오줌 냄새로 가득 찼을 때 거품 안의 공간은 어느 방향으로 움직였는가?

배우1: 오줌의 공간이 코와 얼굴을 공격하면서 제게 다가왔어요.
배우2: 동의합니다. 모든 방향에서 공간이 제게 다가오고 있었어요.
배우3: 오줌의 공간이 항상 수축하는 것 같았습니다.

모두가 이에 동의하는가? 좋다! 훌륭하다. 그 공간을 움직이는 것으로 경험했다. 이것은 범위가 작은 공간이어서 연습하기 쉬웠다. 앞에서 말했듯이, 우리는 이미 주위에 있는 작은 공간을 관리할 수 있다. 그리고 공간이 수축하였다는 데에는 모두 동의한다. 이 공간 수축에 반응하는 동안 자신에게, 자신의 신체에 무슨 일이 일어났는가?

배우1: 수축으로 매우 산만했습니다.

배우2: 많은 것들과 단절된 느낌을 받았어요.

배우3: 수축으로 인해 감각을 느끼는 데 제한을 받았어요.

배우4: 제가 자신을 더 작게 만들려고 하는 것 같았어요.

배우5: 제가 흥미를 느낀 것은 수축에 대해 말할 수 없다는 것입니다. 그것이 거기에 있었지만 우리의 즉흥 연기는 오줌에 관한 것이 아니었어요.

배우6: 우리는 모두 수축을 느꼈고 그것에 의해 변화되었어요.

배우7: 저 자신과 다른 사람들에 대해 매우 불안했습니다.

라일락으로 바뀌었을 때는 무슨 일이 일어났는가?

배우1: 라일락의 공간은 확실히 확장되었습니다.

배우2: 공간이 저에게서 멀어지고 있었습니다.

배우3: 그 공간은 밖으로 나갔다가 저를 데려가고 있었어요.

배우4: 이렇게 움직이는 공간이 바로 웃음이 나게 하는 것 같았습니다.

확장되었다는 것에 모두 동의하는가? 좋다. 확장이 자신에게 어떤 영향을 주는가?

배우1: 확장으로 인해 저는 모두와 교류하고 싶었습니다.

배우2: 사람들과 함께 있는 것을 정말 즐겼어요.

배우3: 함께하고 싶어 하는 사람들로 가득한 파티에 있는 것 같았습니다.

배우4: 무슨 일이 있었든지 간에 조용하고 평화롭게 느껴졌어요.

먼지는 어떤가? 이 상상이 공간의 동작에 영향을 미쳤는가?

배우1: 먼지의 공간이 저를 옥죄며 천천히 압박했어요.

배우2: 예, 저도 동의합니다. 수축이 있었지만 성질이 다릅니다.

배우3: 먼지는 직접적이고 힘든 동작이었어요. 부드럽게 소용돌이쳤어요.

배우4: 먼지의 공간은 확실히 수축하였습니다.

그 결과는 어땠는가? 자신이 먼지로 가득 찬 거품 속에 있었기 때문에 무슨 일이 일어났는가?

배우1: 먼지에 관해서는 이야기하고 싶지 않습니다.

배우2: 우리가 먼지였다면 지루했을 거예요. .

배우3: 마치 어떤 음모에 가담한 것 같았어요.

배우4: 먼지의 즉흥 연기를 소그룹으로 진행했는데, 잘 준비된 사람은 없었어요.

배우5: 제 눈은 먼지의 영향을 많이 받았고, 그래서 모든 사람을 싫어하기 시작했습니다. 더는 보고 싶지 않았어요.

아주 좋은 탐구였다. 성공했으니, 계속 나아갈 수 있다. 체홉은 분위기에 대해 말할 때 우리가 했던 것보다 덜 유치한 것을 예로 언급했다. 이미 앞에서 분위기를 경험했기 때문에 나는 오줌, 라일락, 먼지와 같은 3가지 분위기를 소개했다. 그러나 체홉은 물질이 아닌 '공기 중의 감정'에 대해 이야기했다. 방금 우리가 살펴본 것도 유용한 분위기가 될 수 있지만, 그는 조금 다른 생각을 가지고 있었다. 차이점은 우리의 분위기들이 형체가 있기에 공기 중의 감정보다는 더 실체적이다. 형체가 있는 분위기에 성공했으니, 조금 더 창조적인 무형의 분위기에 도전해보자.

거품으로 돌아간다. 공간의 범위를 정하고 그 공간 안의 자신을 느낀다. 호흡을 바꿀 필요는 없지만, 호흡을 인식한다. 호흡하는 공기가 재난으로 가득 차 있다고 상상한다.

배우: 재난이 발생했습니까?

아니다. 특정 재난에 대해 생각해서는 안 된다. 자신이 호흡하는 공기가 재난으로 가득 차 있다고 말한다. 숨을 쉴 때마다 이 재난이 자신의 폐로 더 깊숙이 들어간다. 재난은 공중에 있다. 주위를 돌아다니며 재난을 들이마신다. 만일 특정한 재난을 생각하면, 그 재난을 연기하도록 유혹당한다. 그래서 실제 재난이 없으면, 갈등이 생기고 연기를 하지 못한다.

재난에 수반되는 신체의 존재, 신체의 감정의 성질이 있다. 그것이 우리가 찾고 있는 것이다. 배우가 연기하는 장면이 결혼식 장면일 수도 있지만, 이 특별한 결혼식도 재난의 분위기에 둘러싸여 있다. 이 탐구의 시점에서 자신의 신체에 주의를 집중해야 한다. 재난의 분위기에 있기 때문에 신체에 무슨 일이 일어나고 있는가?

신체에 주의를 기울이면 유용한 정보를 얻을 수 있다. 공간이 자신과 관련하여 움직일 수 있다면, 신체는 그것이 어느 방향으로 움직이는지 알려줄 것이다. 자신의 신체가 공간에 반응하게 하면, 자신을 행위로 이끌 것이다. 하지만 먼저 반응해야 한다.

재난의 분위기가 효과가 있었는가? 방향을 느낄 수 있는가?

배우1: 재난의 공간이 저를 압박했습니다. 무겁다고 느꼈습니다.

배우2: 매우 강한 감각이었어요. 제 어깨에 떨어졌어요.

배우3: 머리가 무거워지고 얼굴이 길어졌다고 느꼈어요.

배우4: 호흡이 바뀌었는데, 어떻게 호흡하는지 잘 알게 되었습니다. 재난의 공간에서는 일상적으로 제가 어떻게 호흡하는지 알지 못하기 때문에 흥미로웠어요.

배우5: 재난의 공간은 확실히 아래로 이동하고 있었습니다.


우리는 매우 중요한 사실, 즉 이 분위기를 몇 번이고 계속해서 재현할 수 있다는 점을 발견했다. 공간이 마치 머리와 어깨로 내려가는 것처럼 느껴진다는 데도 대부분 동의하는 것 같다.

앞에서 이미 내면의 하강 감각을 경험했고 그것이 무엇인지 안다. 지금 우리 외부 공간이 떨어지고 있다. '떨어지는' 공간은 신체의 외부에 있으므로 신체에 닿으면 신체가 반응한다.

배우의 반응이 어떻게 신체적으로 변했는지, 그리고 배우가 어떻게 자신의 신체로 새로운 관계를 발전시켰는지 알게 되는 것은 아주 놀라운 일이다. 배우는 신체가 자신에게 말하는 것을 들을 수 있고 그것을 사용해 연기할 수 있다.


## 15 느릅나무 아래 욕망 3

이제 우리의 상황에서 '재난'이라는 단어를 제거할 방법을 살펴보자.

보통 배우들은 대사에 몰두하므로 말을 시작하면 분위기를 잃는다. 배우는 재난을 연기하기를 원하지 않는다. 재난의 분위기에 영향을 받고 싶어 한다.

우리가 연습했던 첫 번째 장면에서 캐벗은 새 신부와 농장으로 돌아온다. 에번에게는 좋은 상황이 아니고 일종의 재난이지만, 사실 그 장면은 귀향이다. 캐벗은 자신의 권위를 재천명하고, 에번 그리고 에번이 이미 실행 중인 계획들에 대해 실질적인 위협을 가한다. 에번에게는 긍정적인 것이 아니다. 대부분의 부정적인 것들이 아래로 움직이고 있다.

그래서 우리는 재난의 연기에 대해 걱정할 필요가 없다. 공간을 차지하고 아래로 내려가는 동작을 경험하면 된다. 그러면 이제 재난에 대해 생각할 필요가 없고, 그저 어깨 위에서 아래로 내려가는 공간으로 연기하면 된다.

애비의 경우 에번을 만나는 순간을 예상했는데, 이 분위기는 그녀가 기대했던 것과 다르다. 그녀는 공기 중에 있는 이 분위기에 반응해야 한다. 전체 사건은 에번에게 놀라움이다. 그것은 갑자기 튀어나왔고 그는 이 분위기에 감겨 휘청거리고 있다. 에번과 애비는 완전히 다른 두 개의 관점을 가지고 있지만, 같은 장소에 있고 같은 공기에 둘러싸여 있다.

공간을 움직이고 나면 거기에서 분위기를 잡을 수 있다. 분위기가 일어난다. 자신이 만든 분위기를 느낄 수 있다. 분위기는 무대를 지나 관객에게 도달한다. 관객에게 배우의 역할을 연기하는 것을 기대할 수는 없다. 그러나 배우는 관객이 느낄 수 있도록 무언가를 그들에게 줄 수 있다. 그것이 바로 분위기이다. 지금 관객이 여기에 있다면 우리의 분위기를 느낄 수 있다. 그것을 느낄 수 있는가?

좋다. 이제 그만 중단한다. 공간 이동을 중지하면 사라지는 것을 느낄 것이다. 분위기로 연기하기 위한 아주 좋은 첫걸음이었다. 기분이 어떤가?

배우1: 당신이 재난을 제거했고, 우리가 이 장면을 공간을 아래로 움직이는 분위기로 접근했기 때문에, 재난과는 다른 느낌이 들었어요. 재난만큼 강력하고 구체적이지는 않았지만, 여전히 불편하고 불안했어요.

배우2: 저는 재난이 그 장면에서 효과가 있을 것으로 생각합니다. 우리가 그것을 놓아야만 해서 실망했습니다. 저는 그 장면을 연기할 준비가 되어 있었어요. 애비가 저를 위해 나타났습니다. 그녀가 이 집에 도착하면서 얼마나 많은 일이 일어날지, 그녀가 극복해야 할 어려움들이 명확해졌습니다. 저는 모든 것을 느낄 수 있었습니다.

배우3: 저는 에번이 얼마나 화가 났는지 느꼈어요. 그가 무엇을 해야 하는지와 어떻게 대응해야 하는지 몰랐다는 것도 느꼈어요. 재난은 아니었지만, 그렇다고 좋은 것도 아닙니다. 압박감을 느꼈습니다.

좋다. 나도 역시 느낄 수 있었다. 아래로 이동하는 공간의 분위기를 다시 만들자. 그런 다음에 대사를 편하게 말한다. 연습하면서, 대사보다 분위기에 더 많은 관심을 기울인다. 자신이 분위기에 반응하고 대사가 자신에게서 어떻게 나올지 확인한다.

그만. 대사에 너무 주의를 기울이고 있고, 자신에게서 분위기를 멀어지게 하고 있다. 분위기를 유지하자. 그냥 앉거나 일어나서 분위기와 조화를 이루면 많은 것을 받게 된다. 이러한 분위기를 유지할 수 있다고 확신할 때 대사를 말한다. 분위기가 멀어지면 나는 계속 중단시킬 것이다.

우리가 지금 연습하고 있는 것은 분위기이다. 대사를 알고 있기는 하지만 관심을 두지 말고, 분위기가 전부가 되도록 하자. 분위기를 통해 배우가 연기하는 방식과 배우의 특정한 초점이 무엇이어야 하는지를 알아낼 수 있다. 그러니 분위기를 다시 만들고 그 안에서 무엇을 찾을 수 있을지 살펴본다. 리허설을 하는 새로운 방법이므로 익숙해지는 데 약간의 시간이 걸린다. 자신의 주변의 힘을 믿기 때문에 항상 분위기를 찾을 것이다. 다시 시도하자.

무엇에 집중했는지에 대해 명확했기 때문에 이번에는 즉흥 연기가 잘 진행되었다. 분위기와 대사에 대해 어떻게 느꼈는가?

배우1: 에번으로서, 저는 그들로부터, 그 장면으로부터 도망치고 싶었지만 머물러서 대처했습니다. 그것은 매우 강력했습니다. 그것은 제 대사에 신비한 힘을 주었습니다. 하지만 저는 그 모든 것의 한가운데 있는 배우로서 분위기를 전부 받아들일 수 있었습니다.

배우2: 동의합니다. 에번으로서, 저는 이 어려운 감정을 고칠 수 있는 유일한 방법은 그 두 사람을 내쫓는 것이라고 느꼈습니다. 그들이 그것을 말하지 않더라도, 제 대사는 이것을 말하고 있었습니다.

배우3: 애비로서, 저는 너무 고립된 느낌을 받았어요. 캐벗에 대해 깊은 원망을 느꼈지만, 저에게서 멀리 떨어져 있는 듯한 에번에게는 미안한 마음이 들었어요.

분위기와 대사가 있는 장면을 한번 시도해보자. 애비 1명과 에번 1명으로 진행할 것이다. 단지 리허설이라는 것을 기억한다. 분위기에 집중하고 서로에 대한 관심을 유지한다. 그냥 분위기에 대사가 따르도록 한다. 그래 좋다. 보고 있는 사람들은 무엇을 보거나 느꼈는가?

배우1: 저는 이 두 등장인물이 똑같은 것에 둘러싸여 확실히 같은 장소에 있다고 느꼈어요. 그들이 서로 멀리 떨어져 있음에도 불구하고 함께 뭉쳐있는 것 같았어요. 제 말은, 그들의 욕망은 분명히 서로 달랐지만 무언가가 그들을 하나로 단결시키고 있었다는 의미예요.

배우2: 그들의 행위는 매우 분명했습니다. 마치 마법의 주문처럼 움직였습니다. 부자였습니다.

분위기가 정확하다고 생각하는가? 옳은 분위기였는가? 다른 분위기이면 달라졌을 것으로 생각하는가?

배우: 아마도 당신이 두 배우를 위해 선택한 바로 그 분위기였을 거예요. 당신이 배우들에게 그렇게 하라고 한 것이 옳다는 것을 알았습니다. 그 장면에 또 다른 분위기가 있을 수 있나요? 그들 사이에 흥미로운 일이 벌어지고 있었습니다. 그러나 아마도 그것은 올바른 분위기가 아니었을 수도 있습니다.

단지 리허설일 뿐이다. 우리는 무언가를 시도하고 있었다. 배우들이 이미 분위기를 개발해보았기 때문에 할 수 있는 일이었다. 그래서 나는 그들에게 그것을 시도해보라고 요청했다. 체홉은 '리허설은 더 나은 것을 찾기 위한 도구'라고 말했다. 그렇다. 탐구할 다른 분위기가 있을 수 있다. 결국 우리는 장면의 요구에 가장 적합한 분위기를 선택할 것이다.

의심의 분위기로 그 장면을 본다면 어떨 것으로 여겨지는가? 의심으로 거품을 채운 다음 폐로 숨을 들이마시자. 재난에서 했던 것과 같다. 의심을 품을 의무가 있다고 느껴서는 안 된다. 그것은 분위기가 아니다. 사실, 그것은 분위기를 죽일 것이다. 모두가 이것을 시도해보자. 분위기가 의심으로 가득 차 있을 때 공간이 어떻게 움직이는지 알아내려고 노력하고 있다. 숨을 들이마신다. 분위기가 자신을 연기하게 한다.

좋다. 의심의 분위기가 매우 강렬했다. 모두 동의할 것이라고 확신한다. 공간이 움직이는 방향에 대해 무엇을 말할 수 있는가?

배우1: 제 이마 바로 앞 어떤 지점에서 의심의 분위기가 제게 다가오고 있다고 느꼈어요.

배우2: 그렇습니다. V 모양 같은 것이 저를 향해 움직였고 그 V가 향하는
목표는 제 얼굴이었습니다.

배우3: 믿을 수 없습니다. 얼굴에 닿는 듯한 느낌이 들었지만 V는 아니었
어요. 그것은 제게 소용돌이처럼 느껴졌어요.

아주 좋다. 이제 의심이라는 단어를 버리고, 공간의 동작, 공간의 움
직임으로만 연습하자. 그러면 의심스러운 행위를 하고 싶지 않을 것이다.
대신에 공간의 움직임에 반응할 것이다. 반응하면서 즉흥 연기를 시작한
다. 이제 무엇에 집중해야 하는지 이해한다고 생각한다. 계속해서 공간의
움직임을 가지고 연기한다.

배우: 공간의 움직임이 더 좋다고 생각해요. 훨씬 더 명확하고 쉽게 연결
할 수 있는 것이었어요.

아마도 분위기로 연기하는 방법에 더 익숙해지고 있는 것 같다.

배우: 저는 공감의 움직임으로 연기하는 것이 장면에 더 적합하다고 생각
해요. 불편함 같은 것이 훨씬 더 강렬했어요. 저는 의심으로 작업
하지 않았어요. 공간의 특정한 방향과 동작에 반응하고 있었어요.
그것이 장면의 핵심인 것 같았어요.

지금 그 장면을 연기해보는 것은 어떤가? 애비 역할 배우와 함께 할
수 있는가? 움직이는 공간으로 간다. 분위기가 느껴지면 대사를 시작하고
의심한 것이 사실인지 확인한다.

좋았다. 무언가 느꼈기 때문에 기분이 좋았을 것이다. 어땠는가?

배우1: 좋았습니다. 기대했던 것이 아니었지만, 멈추지 않는 이 동작으로 살아 있었기 때문에 더 많은 것을 느꼈고, 그녀와 함께 연기할 수 있었어요.

배우2: 강력한 경험이었지만, 계속하는 것이 놀랍도록 쉬웠습니다. 우리가 그것을 유지했습니까?

그랬다고 생각한다. 분위기의 용이성에 대해 말한 것, 그것이 사실이라는 것을 안다. 일단 그것이 일어날 가능성에 자신을 넘겨주고, 움직이는 공간을 설정하면, 자신이 원하는 만큼 계속할 수 있다. 잘했다. 동의한다. 의심이 이 장면에 아주 가득하다. 무슨 일이 일어나고 있는지 이해하지 못하고, 이 모든 일이 실제로 일어나고 있다고 믿지 않는 것으로 가득 차 있다. 그리고 그것은 그들 모두에게 사실이다.

시간과 연습을 통해 우리는 점점 더 많은 공간을 통제할 수 있다. 집중력을 키우는 문제이다. 하지만 오늘 달성한 것은 모두가 그것을 느꼈기 때문에 성공적이었다. 정말로 무형의 것과 접촉했고 그것이 테크닉의 진정한 힘이다.

# 6장

---

# 테크닉의 정복

연기에 대한 체홉의 접근방식에서 개인적인 것은 없지만, 테크닉은 배우의 진정한 자아를 열어준다. 처음 테크닉을 접하게 되면 배우는 2가지 상반된 견해를 가지게 된다. 테크닉이 너무 많은 약속을 하기 때문에 마음을 움직인다. 하지만 동작이 어떻게 유기적으로 연기의 진실을 가져다줄 수 있는지 이해하지 못하기 때문에 테크닉에 대해 의심을 품게 된다.

체홉의 테크닉을 '외부에서 내부로' 진행되는 연기방법이라고 자주 언급한다. 반면에 더 많은 사고와 더 적은 동작을 포함하는 다른 접근방식들은 오히려 '내부에서 외부로'라고 묘사된다. 이 설명 중 어느 것도 이들 연기 접근방식을 정확하게 표현하지 못했고, 연기 과정에 대한 유용한 정보도 제공하지 못한다. 그저 단순히 가치 지표로 사용된다. 그래서 어느 접근방식이 더 많은 가치를 지니는가에 대해 명확하게 엇갈리는 팽팽한 입장들이 존재하게 되었다.

신체는 상상과 관련해서는 외부에 있다. 그러나 신체를 찾기 위해 외부로 나와야 하는 것은 상상이다. 개인적인 견해로는, 체홉의 테크닉은 '외부에서 내부로'가 아니라, 아마도 가장 '내부에서 외부로'에 충실한 연기 과정이다. 테크닉은 영감의 연기에 대한 접근을 약속한다. 영감을 얻는 단계는 다음과 같다.

1. 상상 (내부)
2. 집중 (내부에서 외부로)
3. 통합 (외부에서 내부로)
4. 발산 (내부에서 외부로)
5. 영감 (외부에서 내부로 다시 외부로)

이상 세계에서는 상상과 상상을 표현하는 수단인 신체 사이에 차이가 없지만, 현실 세계에서는 차이가 그것을 갈라놓는다. 예술가의 삶은 상상과 신체 사이에 걸쳐져 있다. 배우에게 있어 정복해야 하는 대상은 신체이다. 신체가 배우의 연기 도구이기 때문에 다른 방법이 없다.

배우는 무엇이 가능한지 알아야 한다. 시간을 관리하는 방법을 배우고, 긴 안목에서 우선순위를 정해야 한다. 상상을 발휘할 수 있게 신체가 부드러워지도록 부지런히 연습해야 한다. 그러나 보통 신체는 단단해지고, 실생활은 배우에게서 유연함을 빼앗아가며, 신체는 배우가 내리는 명령, 특히 명령이 연기를 요구할 때 항상 쉽게 따르지 않는다. 그래서 처음에는 배우의 적인 육체와 친구가 되기 위한 시간이 필요하다. 의식적으로 정확하게 연습함으로써 신체를 부드럽게 하는 방법을 찾는다.

배우의 단단한 신체로는 아무것도 할 수 없다. 이미지를 통합할 수 없다. 자신의 감정이나 의도를 표현할 수 없다. 연기 공부는 신체가 도구라는 것을 발견하는 것으로부터 시작한다. 그런 다음, 마치 신체를 가지고 있다는 사실을 몰랐다는 듯이 초보자로서 시작해야 한다. 우리는 바로 지금도 신체를 발견하고 있다. 이 작은 인식의 변화가 필요하다. 배우가 신체가 무엇인지에 대한 새로운 깨달음을 얻었을 때 비로소 신체를 개발할 수 있고, 신체가 배우를 돕기 위해 올바른 방법으로 작동하게 할 수 있다.

세상은 광대하고 우리의 작은 삶은 너무 제한적이다. 일단 상상이 배우를 인도할 수 있다는 사실을 인식하고 나면, 배우는 상상이 힘이라는 것을 알게 되기 때문에, 상상을 훈련하게 된다. 상상이 발달하면 배우에게 필요한 모든 것을 그 안에서 찾을 수 있다는 확신이 생겨 안심할 수 있다. 배우는 공연에서 일관되게 자신을 표현할 수 있는 명확한 수단을 얻게 된다. 그래서 배우는 일상의 자아 감각을 넘어 원형과 이미지의 새로운 세계에 기꺼이 도달해야 한다. 원형적 방식으로 대본과 접촉하는 것은 예술가의 상상 안에 살고 있는 힘을 표출하는 것이다.

프레이는 체홉이 제자들에게 요구한 것을 다음과 같이 말했다.

배우는 세상에 연기로 보여주는 것들에 대한 도덕적 책임감을 키워야 한다. 관객에게 미칠 영향과 관객에게 어떻게 전달될지에 대해 이해할 필요가 있다. 관객과의 관대한 접촉을 위해 무대에 있다는 것을 알아야 한다. 관객은 배우에게 책임감을 원하고 배우는 기꺼이 관객에게 의무를 다해야 한다.

배우는 배우 자신을 위해 연기하는 것이 아니다. 연기하는 배우가 된 것을 기쁘게 느껴야 한다. 후자가 전자보다 더 큰 의미이다. 단지 자신을 위해 연기하는 것보다 훨씬 더 중요하다.

테크닉을 완전히 습득하는 것은 인간 존재에 대한 새로운 인식을 수용하는 것이다. 그렇지 않으면 테크닉의 정복은 불가능하다. 도덕적 책임감을 찾는 활동은 체홉이 말한 예술가의 창조적 개성과 배우의 연관성을 발견하는 간접적인 호소이다.

배우 자신의 재능을 찾는 것이 배우가 수행해야 할 과제이다. 무엇이든지 간에 숙달하는 데에 시간이 걸린다는 것은 누구나 안다. 창조적 개성과 접촉하는 것도 시간이 걸리고, 신체를 변화시키는 것도 시간이 걸린다.

그래서 원칙과 도구는 배우에게 기쁨을 준다. 왜냐하면 그것은 너무 자유롭게 다가오기 때문이다. 그러나 이러한 원칙과 도구는 여러 면에서 배우가 연기의 마법을 창조하도록 돕는 단지 속임수들에 불과하다. 속임수들은 배우가 그것들을 하나로 통합하는 방법을 찾을 때까지는 해체된 많은 조각으로 나타난다. 창조적 개성은 배우가 필요로 할 때 이러한 도구들을 사용하는 방법을 가르쳐준다.

연기 수업에서, 나는 테크닉이 가능한 한 가장 실용적인 방법으로 사용되도록 가르친다. 많은 배우들이 기술 일부를 배운 후 테크닉을 활용하는 방법에 대한 조언을 듣기 위해 찾아온다. 그들은 테크닉을 이해한다고 말하지만 정확히 어떤 부분을, 언제 사용하는지는 모른다. 배우들의 질문에 대한 해답을 찾지 못해 곤혹스러웠다. 왜 그들이 스스로 테크닉을 결정할 수 없는지 궁금했다. 수업 시간에 그들은 연습을 잘했었다.

배우들은 문제 해결을 위해 연기 작업의 가치와 경험에 대해 말했다. 왜 그들은 테크닉을 연극에 스스로 적용할 수 없는가? 나는 나 자신의 훈련과 개발에 대해 곰곰이 생각해보고 나서야, 내가 잊고 있었던 것을 깨달았다. 나도 똑같은 문제와 질문으로 오랫동안 고생했었다. 나는 테크닉을 제대로 이해하는 데 10년이 걸렸다는 사실을 잊었다. 연기 지도자로서, 배우가 이 테크닉을 2년 안에 정복할 수 있다는 잘못된 생각을 가졌던 것이다. 이것은 연기 학습의 두 부분인 '무엇'과 '어떻게'에만 해당하는 문제이다. 더 완벽한 배우가 되기 위해서는, '누구'를 발견할 시간도 필요하다. 여기서 누구는 예술가인 배우 자신이다.

물리적 신체를 개발하는 동안에, 창조적 개성이 관여하게 된다. 주의하지 않으면, 이 연결을 놓칠 가능성이 있고, 그러면 일방적인 훈련이 되어서 테크닉을 숙달하는 데 더 많은 시간이 걸린다. 육체적으로 훈련을 할 수는 있지만, 훈련 속에서 자유롭지는 못할 것이다. 연출이나 교수의 지도에 이끌려 배우가 일시적으로 멋진 성과를 달성할 수도 있다. 그러나 배우가 통제하고 있는 것은 아니다. 배우가 자신이 하고 있는 연기의 모든 것을 통제하고 있다는 느낌은 아주 특별하며, 그것은 뛰어난 예술가의 영역에 속하는 것이다.

자신이 살고 있는 세계에 대해 어떻게 느끼는지 알고 나면, 예술적 연결을 만드는 힘을 갖게 된다. 배우가 어떻게 느끼는지 아는 것은 일상의 순간을 진실의 순간으로 발견하게 하는 것이다. 배우가 어디에서 사물을 느끼고 어떻게 사물을 느끼는지를 아는 것은 배우에게 테크닉으로 연기할 수 있는 능력을 준다. 창조적 개성은 현실의 세계를 상상의 세계와의 관계 속으로 데려가는 기능을 가지고 있다. 상상의 세계를 현실로 보이도록 노력하는 데 있어서, 배우들은 신체 안에 무언가를 설정해야 한다. 감각이 신체에 어떤 영향을 미치는지에 대한 인식이 없으면, 배우는 세계와 창조적인 관계를 맺지 못한다.

뉴욕시에 있는 미하일체홉연기스튜디오에서는 5가지 지도원칙에 따른 연기 학습 과정이 개설되어 있다. 접근방식은 3가지 초점으로 나뉜다. 첫 번째는 '나'이다. 이것은 배우의 신체에 대한 작업이다. 기본 원칙과 도구가 강조된다. 이 초점은 신체가 할 수 있는 감정과 동작이 무엇인지 배우가 발견하는 것이다. 신체는 연습에 매우 민감하기 때문에, 아주 빠른 성취감을 얻는다.

다음 초점은 '우리'이다. 여기서 배우는 자신이 차지하고 있는 공간,

동료 배우, 상상의 연극 세계와 관계를 맺게 된다. 관심은 신체 외부에 있지만, 인상은 신체에 의해 느껴지고 표현된다.

세 번째 초점은 '그들'이다. 그것은 공연, 관객 및 무대 너머 세계와의 연결이다. 여기서 배우는 자신이 세계에 미치는 영향과 자신의 진정한 자아를 어떻게 표현할 수 있는지에 연결된다. 창조적 개성이 배우의 예술적 이해에 기여할 수 있도록 자극되고 격려되는 것은 이러한 3가지 초점에서이다.

창조적 개성은 이 3가지 초점을 통합하고 배우에게 전체의 느낌을 준다. 전체의 느낌은 Four Brothers 중의 하나이며, 배우가 항상 연극의 목표를 유지하게 하는 역동적 원칙 중 하나이다. 전체의 느낌으로 연기할 때, 배우는 예술가로서 작업하는 것이고, 체홉의 테크닉을 잘 수용했고, 그것을 정복하는 길을 잘 가고 있다는 확신을 느낄 수 있다.